Filomena Anzivino - Katia D'Angelo

Ci vuole orecchio!

Ascolti autentici per sviluppare la comprensione orale

ALMA
Edizioni
Firenze

Direzione editoriale: Ciro Massimo Naddeo

Redazione: Carlo Guastalla, Euridice Orlandino e Chiara Sandri

Progetto grafico e impaginazione: Andrea Caponecchia

Progetto copertina: Sergio Segoloni

Illustrazioni: Cristiano Sili

Le autrici ringraziano per aver prestato la loro voce:
Carlo Guastalla, Christopher Humphris, Diana Pedol, Ettore Guastalla, Ivan Ruzzolino, Mara Cancia, Mario Barbaliscia di Lauro, Matteo Capanni, Nicoletta Cuomo, Paolo Torresan, Rita Piccolo, Roberta Baggiani, Stefano Urbani.

I brani audio delle unità n° 3, 7, 11, 12 sono tratti da "Repubblica RadioTV"; www.repubblica.it

Stampa: La Cittadina, azienda grafica - Gianico (BS)

Printed in Italy
ISBN: 978-88-6182-107-1

©2009 Alma Edizioni
Prima edizione: ottobre 2009

Alma Edizioni
Viale dei Cadorna, 44
50129 Firenze
tel. +39 055476644
fax +39 055473531
alma@almaedizioni.it
www.almaedizioni.it

I diritti di traduzione, memorizzazione elettronica, di riproduzione e di adattamento totale o parziale, con qualsiasi mezzo (compresi microfilm e le copie fotostatiche), sono riservati per tutti i paesi.

L'editore è a disposizione degli aventi diritto per eventuali mancanze o inesattezze.

Indice

1 Il mondo dell'informazione

1 *Ascolta e rispondi alla domanda.*

In che contesto vengono fatte le affermazioni nell'audio?

○ **a.** All'interno di una trasmissione televisiva in cui i politici espongono le proprie opinioni sul giornalismo italiano.
○ **b.** Durante un servizio al telegiornale sull'evoluzione dei mezzi di comunicazione di massa.
○ **c.** Nel corso di un'intervista ad un giornalista con molta esperienza nel settore.
○ **d.** In un programma sulla difesa dei diritti dei cittadini di accedere all'informazione senza censura.

2 *Nell'audio che ascolterai sono state cancellate le otto domande dell'intervistatrice. Scegli, tra le domande della lista, quelle che secondo te corrispondono all'originale e mettile in ordine.* 03

a. Rispetto a quando sei diventato giornalista tu, che cosa è cambiato?
b. Qual è il tuo difetto più grande?
c. È possibile essere un giornalista moderno?
d. Per chi lavori?
e. Cosa non ti piace nella società moderna?
f. Un'ultima domanda: se potessi tornare indietro, rifaresti questo lavoro?
g. Come sei diventato giornalista? Perché questa scelta?
h. Come si diventa, oggi, giornalista?
i. Allora Fabio, che lavoro fai?
l. Quando sei diventato giornalista?
m. Qual è la storia del giornalismo in Italia?
n. Quali sono le caratteristiche indispensabili per diventare un buon giornalista?
o. Qual è invece, secondo te, il difetto peggiore di un giornalista?
p. Allora, Fabio, chi sei?
q. Il tuo è un lavoro duro?
r. Per chi ti piacerebbe lavorare?
s. Rispetto a quando sei diventato giornalista tu, quali sono i lati positivi e i lati negativi del giornalismo?

2.
3.

5.

3 *Ascolta l'intervista completa e verifica le risposte del punto **2**.*

4 *Ascolta ancora e scrivi le informazioni della lista nel riquadro giusto.*

1. Comincia facendo una rassegna stampa per la radio.
2. Conosce ed è in grado di usare le nuove tecnologie.
3. Comincia a lavorare per caso.
4. Imposta i giornali elettronicamente.
5. Deve selezionare una moltitudine di notizie.
6. Non pubblica determinate notizie per paura delle conseguenze.
7. È curioso e serio.
8. Deve trovare le notizie da diffondere.
9. Usa informazioni che arrivano da videotelefoni.
10. Ha una formazione postuniversitaria.
11. Si serve anche di notizie video.
12. Fa degli stage prima di lavorare a tempo pieno.
13. Si serve di notizie scritte tramite linotype.
14. "Svuota i cestini".

Fabio	Giornalista moderno	Giornalista del passato	Cattivo/Buon giornalista

5 *Leggi e scegli la posizione dell'aggettivo nelle frasi. Poi ascolta per verificare.*

a. ...come tutte le **importanti** cose **importanti** della vita...
b. ...un appello fatto alla **mia** radio **mia** preferita...
c. ...molti anni prima di raggiungere un/uno **vero e proprio** stipendio **vero e proprio**...
d. ... scuole di specializzazione, in genere postuniversitarie, molte **italiane** università **italiane** hanno questi corsi...
e. ...sanno manovrare anche le **moderne** tecnologie **moderne**...
f. ...venivano ancora fatti con una **fantastica** macchina **fantastica** che si chiamava...
g. ...e poi l'avvento delle **digitali** tecnologie **digitali** permettono...
h. ...alla televisione di avere **tantissime** informazioni **tantissime** video che arrivano...
i. ...la rete dei **naturali** corrispondenti **naturali** in tutto il mondo...
l. ...ai movimenti degli studenti, per esempio, in **estremo** oriente **estremo**...
m. ...per diventare un **buon** giornalista **buono**?
n. ...secondo te, il **peggiore** difetto **peggiore** di un giornalista?
o. ...dire o scrivere **certe** cose **certe**...
p. ...a non scrivere **altre** cose **altre**...
q. ...non scrivere **spiacevoli** cose **spiacevoli** perché...
r. ...e questo è il **peggior** difetto **peggiore**.

6 *Rileggi le trascrizioni e completa la regola con prima del sostantivo/dopo il sostantivo.*

L'aggettivo

a. Gli aggettivi indefiniti (*qualche, alcuni, molti, tanti...*) dimostrativi (*questo, quello...*) e possessivi (*mio, tuo, suo...*) generalmente vanno ____________	b. L'aggettivo qualificativo (*bello, brutto, alto, interessante...*) ha un valore maggiormente oggettivo quando si trova ____________	c. L'aggettivo qualificativo ha un valore maggiormente soggettivo ed esprime maggiore ricercatezza stilistica quando si trova ____________

7 *In quale, tra le frasi indicate, appare una locuzione fissa (che quindi non viene mai usata all'inverso)* ***aggettivo + sostantivo****?*

- ○ **a.** sanno manovrare anche le moderne tecnologie
- ○ **b.** ai movimenti degli studenti, per esempio, in estremo oriente
- ○ **c.** questo è il maggior difetto

8 *In quali, tra le frasi indicate, lo spostamento dell'aggettivo comporterebbe un totale cambiamento del significato?*

- ○ **a.** dire o scrivere certe cose
- ○ **b.** per diventare un buon giornalista
- ○ **c.** molti anni prima di raggiungere un vero e proprio stipendio

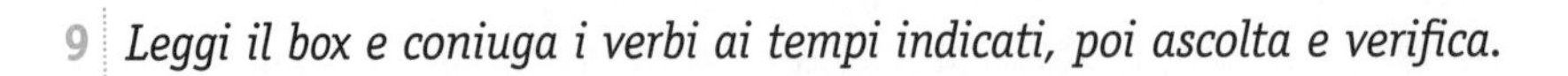

9 *Leggi il box e coniuga i verbi ai tempi indicati, poi ascolta e verifica.* 05

Passato remoto	**Passato prossimo**	**Imperfetto**
Si usa per far riferimento ad un fatto concluso, avvenuto nel passato e senza più relazione con il presente. Segnala anche un maggiore distacco psicologico da parte di chi lo usa.	Si usa per far riferimento ad un fatto concluso, ma che è ancora in relazione con il presente, perché il fatto descritto o i suoi effetti si prolungano fino al presente.	Si usa per far riferimento ad un fatto passato, sottolineandone la durata o la ripetizione. È il tempo della descrizione per eccellenza.

Intervistatrice: Come sei diventato giornalista? Perché questa scelta?

Fabio: Come tutte le cose importanti della vita, spesso capita un po' per caso, un po' per gioco. Tanti e tanti anni fa *(sentire)* ________ un appello fatto alla mia radio preferita, in cui si *(cercare)* ________ qualcuno che desse una mano altrimenti la radio avrebbe chiuso. *(Chiamare)* ________, *(arrivare)* ________ alla radio, *(fare)* ________ la rassegna stampa, non me ne *(andare)* ________ più. *(Volerci)* ________ molti anni prima di raggiungere un vero e proprio stipendio, però, poi, alla fine *(farcela)* ________.

10 *Inserisci tre volte la parola* ***non*** *per completare la dichiarazione di Fabio. Poi ascolta e verifica.* 02

> **Oggi il vero problema dei giornalisti, sia di carta stampata che di radio e televisione, è avere le notizie ma scegliere tra le notizie. Quello che viene scelto esiste per gli ascoltatori e per i lettori.**

11 *Osserva la posizione del primo* ***non****: che effetto dà alla frase?*

- ○ **a.** Il giornalista si è sbagliato: doveva essere prima del verbo.
- ○ **b.** Il giornalista vuole dire che "non avere le notizie" è un problema: la posizione è normale.
- ○ **c.** Il giornalista vuole dire che "avere le notizie" non è più un problema: la posizione del "non" serve a dare enfasi alla negazione.

12 *Per evitare equivoci sul significato è necessario che nella frase gli accenti (_____) e le pause (*||*) cadano su parole ben definite. Scegli tra le tre possibilità quella che ti sembra corretta. Poi ascolta per verificare.* 02

- ○ **a.** Oggi il vero problema dei giornalisti, sia di carta stampata che di radio e televisione, **è** *||* non avere le notizie *||* **ma** scegliere tra le notizie.
- ○ **b.** Oggi il vero problema dei giornalisti, sia di carta stampata che di radio e televisione, *||* è non **avere** le notizie ma **scegliere** *||* tra le notizie.
- ○ **c.** Oggi il vero problema dei giornalisti, sia di carta stampata che di radio e televisione, è *||* **non** avere le notizie *||* ma **scegliere** tra le notizie.

2 Meglio soli...

1 *Ascolta l'audio e completa il proverbio. Poi rispondi alla domanda.* 06

Meglio soli ... ______________________________

Cosa significa questo proverbio?

- ○ **a.** È meglio che le persone inaffidabili stiano sole.
- ○ **b.** Le persone sole non amano le cattive compagnie.
- ○ **c.** Meglio rimanere soli che stare con persone inaffidabili.
- ○ **d.** Meglio stare soli a casa se non si ha un buon motivo per stare con gli amici.

2 *Ascolta il dialogo e scegli qual è l'argomento principale della discussione.* 07

- ○ **a.** Giorgio convive con una ragazza ma non si vuole sposare.
- ○ **b.** Giorgio ha una fidanzata ma non vuole vivere insieme a lei.
- ○ **c.** Giorgio non ha una ragazza e sta bene così.
- ○ **d.** Giorgio vuole che la madre vada a vivere da sola.

3 *Ascolta il dialogo e indica quali sono, per la mamma di Giorgio, dei buoni motivi per sposarsi.* 07

- ○ **a.** Per farsi una famiglia.
- ○ **b.** Per avere una donna che accetti i difetti di Giorgio.
- ○ **c.** Per non rimanere soli.
- ○ **d.** Perché con il passare degli anni si perdono gli amici.
- ○ **e.** Perché la vita è meglio viverla in due.
- ○ **f.** Per non cambiare più fidanzata.

4 *Riascolta il dialogo e indica quali sono, per Giorgio, dei buoni motivi per non sposarsi.* 07

- ○ **a.** Perché sta bene da solo.
- ○ **b.** Perché il futuro non è importante.
- ○ **c.** Perché non va d'accordo con nessuna donna.
- ○ **d.** Perché è sufficiente avere amici.
- ○ **e.** Perché è meglio star soli che stare male con qualcuno.
- ○ **f.** Perché la convivenza è difficile.

5 *Ricostruisci la conversazione con le parole della colonna di destra, poi ascolta l'audio per verificare. Attenzione alla punteggiatura!* 08

Mamma di Giorgio: Io gradirei ______ ______ ______ ______ ______.	per - sua - famiglia, - sposasse la - è - che - altrimenti - una scelta - avere - si
Giorgio: Ma ______ ______ ______.	sto - io - benissimo mamma - così,
Mamma di Giorgio: E stai ______ ______ ______.	domani, - penso - più - al - che io - ma - altro - benissimo
Giorgio: Ma ______ ______ ______!	importante - domani, - l' ma - il - oggi - è - l'

Trova nel dialogo che hai ricostruito i due verbi corrispondenti ai tempi/modi nei riquadri e scrivili sotto.

Condizionale semplice: ______

Congiuntivo imperfetto: ______

6 *Inserisci **Congiuntivo** e **Condizionale** nella tabella. Aiutati guardando la trascrizione al punto **5**.*

a. ______	**b.** ______
Si usa per esprimere cortesia o per attenuare un'affermazione, una richiesta, un desiderio.	Si usa per esprimere possibilità, volontà o irrealtà in dipendenza da un verbo che esprime incertezza, opinione personale, desiderio, volontà o partecipazione affettiva.

7 *Osserva la frase che hai ricostruito al punto **5** e completa la regola.*

Mamma di Giorgio: Io gradirei che si sposasse.

Nella frase principale per esprimere un desiderio si può usare il **condizionale semplice**. Se l'evento è ancora realizzabile, la subordinata si costruisce con il congiuntivo

○ **imperfetto** ○ **passato** ○ **trapassato**

8 *Leggi le situazioni e completa le frasi con il tempo appropriato del congiuntivo.*

1. Paola invita Giulia a cena a casa sua, ma Giulia aspetta una telefonata molto importante e non vorrebbe uscire di casa. Dice a Paola:
"Io preferirei che *(venire)* ______ tu".

2. Matteo vuole andare in centro con la macchina, ma anche suo padre potrebbe averne bisogno. Il papà dice a Matteo:
"Preferirei che *(prendere)* ______ l'autobus".

3. Sara aveva invitato un suo caro amico al proprio matrimonio, ma lui aveva un impegno importantissimo e non è potuto andare. Dopo qualche tempo Sara incontra l'amico e gli dice:

"Mi dispiace che tu non *(venire)* ( )."

4. La professoressa dice a Roberta e Stefano di essere puntuali il giorno successivo.
"Voglio che *(essere)* ( ) puntuali."
5. I genitori di Luca invitano la fidanzata del figlio a partecipare al loro anniversario di matrimonio:
"Ci piacerebbe che *(partecipare)* ( ) anche tu."
6. Roberta non vede Tiziana da molto tempo e chiede notizie ad Alberto. Alberto risponde: "Mi sembra che *(partire)* ( ) per un viaggio d'affari."

9 *Completa il dialogo con le parole della lista, come nell'esempio. Poi ascolta e verifica.* 09

mamma mia **chiaro** **no** ***insomma*** **certo** **hai capito** **basta**

Mamma di Giorgio: (*Insomma*), non sei stupido, devi capire, la persona, se è al tuo...
Giorgio: Che stai bene o no.
Mamma di Giorgio: ( )! Te devi capirla, ( )?
Giorgio: ( )! Ma appunto per questo, dico, se capisci che non va, ( )! Stai da solo.
Mamma di Giorgio: Ne trovi un'altra, ( )!
Giorgio: E va be', ma non... non è necessario trovare continuamente un'altra, magari uno sta tranquillo così, ( )?

10 *Collega le parole che hai inserito nel dialogo al punto **9** alla funzione corrispondente.*

a. Conferma con forza: ( ) - ( )

b. Esclamazione di impazienza: ( )

c. Chiede approvazione a chi ascolta: ( ) - ( )

d. Introduce la conclusione di un ragionamento: (insomma)

e. Conclude con forza: ( )

11 *Conosci altri proverbi italiani? Prova a rimettere in ordine le parole nella colonna a destra per ricostruire alcuni proverbi che cominciano con la parola "Meglio".*

Meglio...	**a.**	tardi mai che
	b.	oggi un domani gallina che una uovo
	c.	da leone un giorno da cento che pecora
	d.	che poco niente
	e.	che morto un dottore vivo un asino
	f.	invidiati compatiti che

Adesso associa ogni proverbio al suo significato.

1. Meglio accontentarsi di un piccolo risultato che aspettare qualcosa di grande che potrebbe non arrivare mai. ( )

2. Meglio avere/fare una cosa in ritardo che non averla/farla mai. ( )

3. Meglio vivere con coraggio anche se per poco tempo che vivere senza carattere per molto tempo. ( )

4. Meglio che la gente provi invidia per quello che abbiamo/siamo piuttosto che compassione per quello non abbiamo/siamo. ( )

5. Meglio avere una sola cosa che non avere niente. ( )

6. Meglio vivere da ignoranti che morire da istruiti. ( )

3 Giovanni Allevi: vivere per la musica

1 *Ascolta e rispondi alla domanda.*

Che cosa ha fatto Giovanni Allevi?

○ **a.** Ha cantato il nome della giornalista.
○ **b.** Ha suonato una melodia per la giornalista.
○ **c.** Ha scritto una melodia per l'autografo alla giornalista.

2 *Ascolta l'intervista completa tutte le volte che lo ritieni opportuno e scegli la biografia che, secondo te, corrisponde al personaggio intervistato.*

a. Giovanni Allevi nasce ad Ascoli Piceno il 9 aprile 1969. Diplomato col massimo dei voti in violino, comincia la sua carriera artistica nel 1991, durante l'obbligo di leva nella Banda Nazionale dell'Esercito Italiano.
L'incontro con Pavarotti è decisivo: è Pavarotti che lo fa conoscere al pubblico delle grandi platee dei concerti d'opera scegliendolo per aprire i suoi concerti con degli splendidi assoli di violino. In quel periodo, Allevi studia ancora per prendere la laurea in filosofia e si prepara nei camerini.
Esecutore di brani molto celebri, Allevi ama vantarsi e si circonda di fan che lo inseguono in tutti i suoi tour. Le vendite degli ultimi album gli hanno permesso di realizzare qualche piccolo desiderio, come quello di ristrutturare il bagno della casa in cui vive!

b. Giovanni Allevi nasce ad Ascoli Piceno il 9 aprile 1969. Diplomato col massimo dei voti in pianoforte e composizione, comincia la sua carriera artistica nel 1991, durante l'obbligo di leva nella Banda Nazionale dell'Esercito Italiano.
L'incontro con Jovanotti è decisivo: è Jovanotti che lo fa conoscere al pubblico delle grandi platee dei concerti rock scegliendolo per aprire i suoi concerti con dei pezzi celebri reinterpretati. In quel periodo, Allevi studia ancora per prendere la laurea in lingue e si prepara nei camerini.
Interprete di eccezionale sensibilità, Allevi non ama vantarsi e rifiuta spesso di fare autografi ai fan che lo inseguono in tutti i suoi tour. Nonostante l'ultimo album non abbia avuto un grande successo di vendite, Allevi ha potuto realizzare uno dei suoi sogni: ristrutturare la casa in cui vive e far costruire una piscina!

c. Giovanni Allevi nasce ad Ascoli Piceno il 9 aprile 1969. Diplomato col massimo dei voti in pianoforte e composizione, comincia la sua carriera artistica nel 1991, durante l'obbligo di leva nella Banda Nazionale dell'Esercito Italiano.
L'incontro con Jovanotti è decisivo: è Jovanotti che lo fa conoscere al pubblico delle grandi platee dei concerti rock scegliendolo per aprire i suoi concerti con dei pezzi composti da Allevi stesso. In quel periodo, Allevi studia ancora per prendere la laurea in filosofia e si prepara nei camerini.
Attualmente autore di brani molto celebri, Allevi non ama vantarsi anche se ama concedere autografi ai suoi fan. Le vendite degli ultimi album gli hanno permesso di realizzare qualche piccolo desiderio, come quello di ristrutturare il bagno della casa in cui vive!

3 *Ascolta e inserisci negli spazi i pronomi mancanti.*

Giornalista 1	1	Giovanni Allevi, guarda, grazie di esistere! Quello che ( ) ho visto fare prima di
	2	entrare in questo studio ancora non ( ) era mai capitato e da anziana signora
	3	carampana quale sono, ( ) avevo viste nella vita!
Giornalista 2	4	Sì, sì.
Giornalista 1	5	Tu fai gli autografi (musicando), musicando i nomi delle persone?
Allevi	6	Sì. Quando ho il tempo di (poter) fare, perché comunque ( ) vuole un po' di tempo.
	7	Sì, ( ) piace trasformare i nomi delle persone in melodie.
Giornalista 1	8	Io ( ) ho anche la mia ora! ( ) ho la mia melodia e non ( ) saprò mai cantare!

4 *Rileggi la trascrizione e trova i pronomi descritti nella tabella. Poi scrivili al posto giusto.*

______	______	______
Si usa con il verbo **avere** soprattutto nel registro colloquiale per dare enfasi al verbo.	Può essere usato come pronome in sostituzione delle seguenti espressioni: **di lui**, **di lei**, **da lei**, **da loro**, **di questo**, **di questa**, **di questi**, **di queste**, **da questo**, **da queste**, ecc.	Si usa con alcuni verbi (**mettere**, **volere**, ecc.) per indicare un tempo indefinito.

5 *Cerca nella trascrizione del punto **3** le parole che corrispondono alle definizioni.*

a. donna brutta e non giovane	
b. firma di persona importante o famosa	
c. accadere, succedere	

6 *Nell'ultima parte dell'intervista Allevi racconta una sua esperienza.* 12
Rimetti in ordine le frasi e ricostruisci la storia. Ascolta tutte le volte che è necessario.

a. Allevi rimane in camerino.
b. Allevi viene inseguito da alcune ragazzine.
c. Allevi esce con il Pass "Artista".
d. Una fan chiede una cosa che Allevi non dimenticherà mai.
e. I fan riconoscono Allevi.
f. Allevi si ferma per fare gli autografi.
g. Allevi comincia a scappare.

1. 2. 3. 4. 5.
6. 7. 8. 9.

7 *Quale domanda ha fatto la ragazza al musicista, nella continuazione del racconto* 13
di Giovanni Allevi? Usa la fantasia e scrivila inserendo anche le tre parole della lista. Poi ascolta e verifica.

autografo | Jovanotti |  da

Allevi: E una ragazza, che era quella che sembrava il loro capo, mi ha fatto una domanda che non dimenticherò mai...
Giornalista 1: Che ti ha chiesto?
Allevi: "______________________________?"
Giornalisti: Nooo!

8 *Che significa la frase della ragazza del punto **7**? Prova a decidere, poi leggi la regola.*

○ **a.** Ci porti da Jovanotti a chiedere l'autografo?
○ **b.** Fai l'autografo di Jovanotti per noi?
○ **c.** Dai a Jovanotti i nostri taccuini così può mettere l'autografo per noi?
○ **d.** Chiedi a Jovanotti di inventare un nuovo autografo per noi?

La costruzione *Fare* + infinito

Quando non si compie personalmente un'azione, ma si fa in modo che la faccia qualcun altro, si usa la costruzione "*fare* + infinito".
Esempio: *Io compro il giornale.* ➲ *Io **faccio** comprare il giornale.*

Se il verbo dopo **fare** ha un oggetto diretto, chi compie l'azione viene introdotto dalla preposizione **a**.

Esempio: *Faccio comprare il giornale **a** mia sorella.*

Con un verbo che ha un oggetto diretto + un complemento di termine (*a lui, a lei, a noi...*), per evitare di usare la preposizione **a** due volte, chi compie l'azione viene introdotto dalla preposizione **da**.

Esempio: *Faccio comprare a mia sorella il giornale a mio padre.*
➲ *Faccio comprare **da** mia sorella il giornale a mio padre.*

9 *Trasforma le frasi usando la costruzione **fare + infinito** e la persona che compie l'azione indicata tra parentesi. Attenzione: trasforma anche la persona che subisce l'azione usando anche i pronomi indiretti come nell'esempio.*

Esempio: *Io scrivo la lettera **a Eva** (**Ugo** scrive la lettera).*
*Io **le** faccio scrivere la lettera **da Ugo**.*

1. Io telefono per la conferma a te (mio padre telefona).

2. Voi recapitate a noi il messaggio (il corriere recapita il messaggio).

3. Il direttore mostra al neoassunto l'ufficio (la segretaria mostra l'ufficio).

4. Noi spieghiamo la regola a te (il professore spiega la regola).

5. Il negozio porta il pacco ai clienti (il fattorino porta il pacco).

6. Comunico a lui la mia decisione (Marta comunica la decisione).

10 *Inserisci le parole e i gruppi di parole della colonna di destra all'interno della battuta corrispondente. Attenzione alla punteggiatura e alle maiuscole. Poi ascolta e verifica.*

Giornalista1: ti sei accorto di che cosa è successo tra te e il mondo? io suonavo musica classica a otto anni, quando ero piccola, ed ero una sfigatissima, tra i miei amici...	non ve l'ho mai detto amici, Senti, Perché , flauto traverso,
Giornalista2: Si, anche adesso, non è che...	ma
Giornalista1: tutti stavano lì che facevano le cose e io: "Classica, ah, che schifo flauto traverso: sfigata". E a un certo punto è successo qualcosa in Italia, i pianisti come te, come Stefano Bollani, Danilo Rea, sono diventati delle star, dopo, aver fatto la gavetta, non dico che fossero considerati come me quando suonavo il flauto traverso, avevano maggiori difficoltà. che è successo?	però per tanti anni, cito i più famosi, Cioè, , poverina, come Secondo te, dove per cui
Allevi: È successo che è arrivato Giovanni Allevi!	

4 La commedia all'italiana

1 *Ascolta e completa la tabella con le informazioni che senti.*

Generi cinematografici	Titoli di film	Attori

2 *Ascolta e metti una X in corrispondenza del personaggio che sostiene le opinioni riportate, come nell'esempio.* 15

	Stefano	Carlo	Tutti e due	Nessuno dei due
a. Non è d'accordo sulla rivalutazione del genere *commedia all'italiana*.	X	○	○	○
b. Pensa che i film di Totò siano di serie B.	○	○	○	○
c. Ritiene che la *commedia all'italiana* sia una naturale continuazione del *neorealismo*.	○	○	○	○
d. Pensa che Sordi non sia un grande attore.	○	○	○	○
e. È convinto che la *commedia all'italiana* offra un ritratto preciso dell'Italia degli anni '60 e '70.	○	○	○	○
f. Dice che i registi della *commedia all'italiana* erano convinti di fare dei capolavori.	○	○	○	○
g. Ritiene che "Il sorpasso" non sia un grande film.	○	○	○	○
h. Crede che la *commedia all'italiana* non abbia un vero valore estetico.	○	○	○	○
i. Dice che nella *commedia all'italiana* gli attori erano più importanti dei personaggi.	○	○	○	○

3 *Ascolta l'audio e inserisci gli aggettivi mancanti.* 16

Cioè va bene per un pomeriggio al cinema, va bene per un pomeriggio, un gradevole pomeriggio in televisione, voglio dire, è **1.** ______, è **2.** ______, è **3.** ______, è **4.** ______, è **5.** ______, ma, trovo, niente di più.

4 *Decidi se gli aggettivi che hai scritto al punto **3** derivano da un verbo o da un nome e scrivili nella tabella.*

Aggettivo	deriva da	verbo o nome?
1. ______	______	○ verbo - ○ nome
2. ______	______	○ verbo - ○ nome
3. ______	______	○ verbo - ○ nome
4. ______	______	○ verbo - ○ nome
5. ______	______	○ verbo - ○ nome

La formazione delle parole: gli aggettivi

In italiano si possono ottenere aggettivi facendoli derivare da due categorie: il verbo e il nome.

1. Si può ottenere un **aggettivo** da un **verbo** aggiungendo i suffissi:

a. **-ante/-ente**	b. **-tore/-trice**	c. **-bile**	d. **-evole**
Per formare aggettivi di qualità, originariamente participi presenti. **Esempio:** abbondare ➲ abbond**ante**	**Esempio:** vendere ➲ vendi**tore**	Per formare aggettivi di senso passivo che indicano possibilità. **Esempio:** realizzare ➲ realizza**bile** (che può essere realizzato).	Per formare aggettivi con valore attivo e passivo. **Esempio:** piacere ➲ piac**evole**

2. Si può ottenere un **aggettivo** da un **nome** attraverso l'aggiunta di numerosi suffissi, tra cui:

a. **-ano / -ino**	b. **-ato**	c. **-uto**	d. **-are**
Esempio: repubblica ➲ repubblic**ano**	**Esempio:** fortuna ➲ fortun**ato**	**Esempio:** naso ➲ nas**uto**	**Esempio:** luna ➲ lun**are**
e. **-ario** **Esempio:** confusione ➲ confusion**ario**	f. **-ale** **Esempio:** autunno ➲ autunn**ale**	g. **-ile** **Esempio:** giovane ➲ giovan**ile**	h. **-evole** **Esempio:** amico ➲ amich**evole**
i. **-ico** **Esempio:** poeta ➲ poet**ico**	l. **-istico/-astico** **Esempio:** artista ➲ artist**ico**	m. **-oso** **Esempio:** noia ➲ noi**oso**	

5 *Ascolta e inserisci gli aggettivi mancanti negli spazi. Poi trova la parola dalla quale derivano e decidi quale suffisso contengono.* 17

1. Carlo: Era considerato un cinema di serie B.
Stefano: Era considerato un cinema ______________ , un cinema...

L'aggettivo deriva da { ○ verbo __________ . / ○ nome __________ . } Il suffisso utilizzato è _____ .

2. Carlo: Ma non lo so, mi sembra ______________ il fatto che parliamo di *commedia all'italiana*...

L'aggettivo deriva da { ○ verbo __________ . / ○ nome __________ . } Il suffisso utilizzato è _____ .

3. Carlo: È una macchietta, 'sta macchietta dell'Italia, ______________ .

L'aggettivo deriva da { ○ verbo __________ . / ○ nome __________ . } Il suffisso utilizzato è _____ .

4. Carlo: Nell'aver ritagliato un momento e un modo dell'Italia del boom ______________, in quegli anni, negli anni '60... fine anni '50, anni '60 e primi anni '70.

L'aggettivo deriva da { ○ verbo __________ . / ○ nome __________ . } Il suffisso utilizzato è _____ .

5. Carlo: È una fotografia abbastanza fedele in fondo, di una classe media ____________ .

L'aggettivo deriva da { ○ verbo __________ . / ○ nome __________ . } Il suffisso utilizzato è _____ .

6. Stefano: Con modalità bozzettistiche, ______________ .

L'aggettivo deriva da { ○ verbo __________ . / ○ nome __________ . } Il suffisso utilizzato è _____ .

6 *I due personaggi si interrompono e si sovrappongo spesso nella conversazione. Nella colonna di sinistra trovi una parte della conversazione tra Carlo e Stefano con i punti in cui avvengono delle sovrapposizioni. Nella colonna di destra trovi la trascrizione delle interruzioni che avvengono durante la conversazione, non in ordine. Inseriscile dove lo ritieni più logico, poi ascolta e verifica.* 18

Carlo: Ma non lo so, mi sembra sostanziale il fatto che parliamo di *commedia all'italiana* e se.. appunto, è una cosa detta a posteriori, ( ) è una catalogazione a posteriori, ( ) poi in fondo non c'era nemmeno all'inizio grossa differenza col *neorealismo*, cioè, il passaggio è stato molto più ( ) delicato ( ) di quello che sembra. **Stefano:** Sì, ma scusa adesso prendi Sordi ( ). Secondo te è un grande attore?	*Sordi* *sì* *ma, non so, prendi,* *eh* *sì*
Carlo: Secondo me no, veramente. Cioè Sordi non m'ha mai fatto impazzire ( ) è una macchietta, ( ) 'sta macchietta ( ) dell'Italia, ( ) stereotipata. ( ) Cioè è un grande attore perché fa l'italiano, però lo ( ) fa in modo stereotipato **Stefano:** Ecco, allora...	*sì, allora, questa grandezza,* *ecco* *sì, va be', ma,* *sì* *eh, sì, sì,* *ecco*

5 Segni zodiacali

1 *Collega le parole della lista alle immagini.*

Toro

Gemelli

Leone

a. Ariete

b. Sagittario

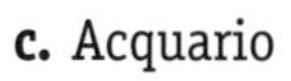
c. Acquario

d. Vergine

e. Scorpione

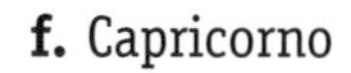
f. Capricorno

g. Bilancia

h. Cancro

7

Pesci

2 *Ascolta il brano. Un gruppo di amici cerca di indovinare il segno zodiacale di una ragazza. Che ipotesi fanno?*

3 *Ascolta tutta la conversazione, qual era l'ipotesi giusta?*

4 *Ascolta ancora la conversazione e completa lo schema.*

	Ipotesi sul segno zodiacale	Segno zodiacale
Ivan		
Mauro		
Nicoletta		
Roberta		

5 *Ascolta ancora la conversazione e scrivi accanto al nome di ogni persona il numero dell'atteggiamento che la descrive.*

( ) **Mauro** ( ) **Roberta** ( ) **Ivan**  ( ) **Nicoletta**

1. Ha un certo interesse per l'oroscopo, anche se non ci crede completamente ma condivide con i suoi compagni l'idea che gli astri possano influenzare la vita o le caratteristiche delle persone. Partecipa al gioco delle ipotesi sui segni zodiacali basandosi sulle caratteristiche delle persone che conosce.
2. È una persona curiosa che si interessa all'oroscopo perché trova che sia possibile individuare e riconoscere le corrispondenze e gli elementi comuni tra gli appartenenti allo stesso segno. Si diverte a fare ipotesi sui segni zodiacali delle persone e spesso li indovina come nel caso di questa conversazione che è partita proprio dalle sue ipotesi sulle persone del gruppo.
3. Non sa molto sull'oroscopo ed è una persona abbastanza scettica sulla sua utilità e sul fatto che esistano delle corrispondenze o delle caratteristiche facilmente individuabili per ogni segno. Nella conversazione ha un atteggiamento abbastanza sospettoso e ironico, ma non riesce a sottrarsi al gioco di indovinare il segno zodiacale.
4. Sebbene non creda particolarmente nell'oroscopo conosce abbastanza bene i vari segni e le loro caratteristiche e trova divertente verificare le corrispondenze nelle persone. Riesce spesso a indovinare i segni basandosi su queste conoscenze. Il suo atteggiamento nella conversazione è divertito e scherzoso.

6 *Ascolta ancora e indica, come nell'esempio, quali tra le seguenti affermazioni potrebbero sintetizzare i discorsi contenuti della conversazione.*

a. Si può indovinare il segno zodiacale osservando le caratteristiche di una persona.	
b. Tutte le persone nate sotto un certo segno hanno le stesse caratteristiche.	

c. La serietà e l'irruenza sono caratteristiche comuni ai segni di fuoco come l'ariete.	
d. Il segno zodiacale di alcune persone è più difficile da indovinare.	
e. L'oroscopo ha una forte influenza sul carattere e sull'aspetto fisico.	
f. L'oroscopo è un gioco, però possono esserci delle corrispondenze tra il carattere e il segno di una persona.	
g. Conoscere il segno zodiacale è molto importante per capire meglio qualcuno.	
h. Pur non credendo all'oroscopo non si può negare che esistano delle influenze astrali.	
i. Il segno zodiacale è differente a seconda del calendario di riferimento.	

7 *Ascolta il brano audio tutte le volte che è necessario e completa il dialogo. Quando non riesci più ad andare avanti vai al punto **8**.*

Ivan: Ma io non ______________________________.

Mauro: ______________________________...

Ivan: ______________________________.

Mauro: No... un po' ______________________________

____

____

______________________________ trovo.

Roberta: No, ______________________________

______________________________.

Nicoletta: Sì, anch'io. ______________________________

______________________________ delle ______________.

8 *Completa la trascrizione dello scambio di battute del punto **7** con le parole qui sotto.*

Ivan: cosa/zodiacali/non/i/a/mai/capito/servono/segni/ho

Mauro: servano/è/Non/che

Ivan: siete/degli/Visto/esperti/voi/che

Mauro: gioco/mio/è/e/è/ci sono/per/almeno/dal/un po'/punto/se/vista/se/delle/effettivamente/corrispondenze./un/di/verificare/trovo /le/Personalmente

Roberta: ci sono/come/astrali/c'è/comunque/non/non/è/credo/influenze/all'/che/in/però/qualche/oroscopo/influenza/so/sé

Nicoletta: continuare/ci sono/Mi/se/vedere/piace/delle/appunto/corrispondenze/a

9 *Collega alla loro funzione i connettivi della colonna di destra, che hai inserito nella ricostruzione al punto **7**.*

1. introduce una smentita a una possibile supposizione dell'altro	almeno
2. segnala una precisazione	appunto
3. segnala una conclusione	non è che
4. introduce una limitazione rispetto a un'affermazione generale	comunque

10 *Qui sotto trovi la trascrizione del brano che hai ricostruito al punto **7**. Leggi il box e prova, per ogni unità tonale, a individuare se l'intonazione è: conclusiva (X), interrogativa (?), sospensiva (...).*

21

Il tono

Il tono è importante perché comunica all'interlocutore il valore che il parlante attribuisce al suo messaggio e ha un ruolo determinante in una buona interazione. È importante capire se il parlante

1. fa una domanda: **tono interrogativo**
2. vuole continuare a parlare ma fa una pausa, esita, prende tempo per riflettere: **tono sospensivo o costante**
3. vuole segnalare di aver concluso il suo enunciato: **tono conclusivo**

Ivan: Mah, io non ho mai capito ☐ a cosa servono i segni zodiacali

Mauro: Non è che servano. ☐

Ivan: Visto che voi siete ☐ degli esperti.

Mauro: No ☐ un po' è un gioco ☐ e un po' è per verificare, se effettivamente, almeno dal mio punto di vista, se ci sono delle corrispondenze. ☐ Personalmente le trovo. ☐

Roberta: No, ci sono influenze ☐ astrali, comunque, ☐ non so come, ☐ non è che credo all'oroscopo in sé, ☐ però ☐ c'è qualche influenza.

Nicoletta: Sì, anch'io. ☐ Mi piace ☐ continuare a vedere se ci sono delle ☐ appunto, delle corrispondenze. ☐

6 Una lingua poco logica

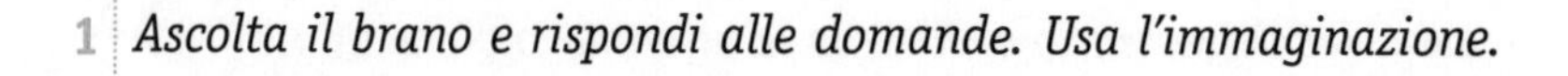

1 *Ascolta il brano e rispondi alle domande. Usa l'immaginazione.*

1. Chi sono le due persone che parlano?

- ○ **a.** Due italiani.
- ○ **b.** Un'italiana e un inglese.
- ○ **c.** Un'italiana e un francese.

2. Di che lingua parlano?

- ○ **a.** Inglese.
- ○ **b.** Francese.
- ○ **c.** Italiano.

3. Che lavoro fa l'uomo?

- ○ **a.** Professore di matematica.
- ○ **b.** Insegnante di lingue.
- ○ **c.** Giornalista.

2 *Ascolta tutto l'audio. Sei d'accordo con le risposte che hai dato al punto* ***1****?*

3 *Ascolta ancora e scegli uno o più aggettivi per descrivere il tono della conversazione.*

○ serio	○ polemico	○ scherzoso	○ accademico	○ impaziente
○ ironico	○ aggressivo	○ conciliante	○ tollerante	○ amichevole

4 *Ascolta l'audio tutte le volte che è necessario e cancella le affermazioni che non corrispondono all'idea dell'uomo.*

1. La grammatica italiana è troppo complessa.
2. I verbi e i pronomi italiani sono veramente difficili da capire per uno straniero.
3. Nella lingua italiana ci sono eccezioni e anomalie assurde.
4. L'italiano si legge come si scrive mentre in francese e in inglese c'è molta differenza tra la scrittura e la pronuncia.
5. L'inglese è una lingua senza una grammatica.
6. L'inglese è una lingua poetica.
7. La pronuncia dell'italiano non è così semplice come sembra.
8. L'italiano è una lingua musicale.
9. Gli italiani pensano che la loro lingua sia superiore rispetto alle altre, in particolare rispetto al francese.
10. La lingua italiana è meno logica di quanto pensano gli italiani.
11. La differenza tra inglesi e italiani è che i primi riconoscono che la loro lingua è poco logica.
12. L'italiano ha un vocabolario ricco di sinonimi.

5 *La seguente lista contiene alcune particolarità della lingua italiana che possono creare difficoltà agli studenti stranieri, due sono false, quali?*

1. Ci sono parole che cambiano significato dal maschile al femminile.
   Esempio: *L'assemblea dei soci ha deciso un aumento* ***del capitale*** *dell'azienda.*
   Roma è ***la capitale*** *dell'Italia*
2. È possibile usare il singolare per parlare delle persone.
   Esempio: ***La gente*** *è sempre pronta a lamentarsi per qualcosa.*
3. Le parole straniere al plurale seguono le stesse regole della lingua a cui appartengono.
   Esempio: *Buonasera, vorrei due* ***long drinks*** *e due* ***crepes*** *al cioccolato.*
4. Esistono parole che cambiano genere dal singolare al plurale.
   Esempio: *Dopo due ore di palestra ho* ***le braccia*** *stanche.* ***Il braccio*** *destro mi fa addirittura male!*
5. È possibile usare il futuro per parlare del presente.
   Esempio: *Che ore sono?* ***Saranno*** *le 8.*
6. Non esistono regole chiare per l'uso della punteggiatura.
   Esempio: *Sono stanco; ora mi riposo un po'?!*

7. Si può usare il presente per parlare del passato.
Esempio: *Leonardo **nasce** a Vinci il 15 aprile 1452.*

8. Alcune congiunzioni richiedono sempre il congiuntivo, altre mai, anche se hanno lo stesso significato.
Esempio: ***Malgrado** tuo fratello non **sia** più giovane, è ancora un bell'uomo.*
***Anche se** tuo fratello non **è** più giovane, è ancora un bell'uomo.*

9. Una negazione nega, due negazioni affermano.
Esempio: ***Non** sono stanco. / **Non** ho fame.*
***Non** sono **per niente** stanco. / **Non** ho **mai** fame.*

10. È possibile usare il femminile per parlare di un uomo.
Esempio: *Ho conosciuto il signore del secondo piano. È **una brava persona**.*

6 *L'uomo sostiene che l'italiano non è una lingua logica. Ascolta e indica le particolarità a cui si riferisce tra quelle al punto **5**.* 23

( ) ( ) ( )

7 *Inserisci, nella battuta della donna, i quattro verbi della lista, poi ascolta l'audio e verifica. Attenzione: c'è uno spazio in più.* 24

1. fosse 2. abbia 3. volevo dire 4. credo

Donna: Mah! Non ( ), comunque, questo della lingua, non ( ) che comunque la nostra ( ) una lingua superiore al francese, però che ( ) una caratteristica un po' più semplice ( ) nella lettura...

8 *La donna lascia l'ultima parte in sospeso. Ascolta ancora l'audio e scegli come potrebbe completarsi logicamente il suo pensiero. Poi indica la ragione dell'uso del congiuntivo.* 24

Però che abbia una caratteristica un po' più semplice nella lettura...	**a.** ...mi sembra strano. **b.** ...non ci credo! **c.** ...lo sai anche tu! **d.** ...non lo sai!

In questa frase bisogna usare il congiuntivo perché:

- ○ **a.** la frase dipende da un verbo che richiede il congiuntivo.
- ○ **b.** la frase dipendente è spostata (dislocata) a sinistra rispetto alla principale.
- ○ **c.** la frase è introdotta da "però".

9 *Trasforma le frasi usando la regola della dislocazione del congiuntivo e metti tra parentesi la frase principale come se fosse sottintesa, come nella frase del punto **8**. Segui l'esempio.*

	Frasi	Frasi con dislocazione del congiuntivo (e sospese)
1	Sai anche tu che ha una caratteristica un po' più semplice nella lettura.	*Che abbia una caratteristica un po' più semplice nelle lettura... (lo sai anche tu).*
2	So per certo che Franco è innocente.	
3	Luisa sapeva che tutti potevano vedere la sua espressione del viso.	
4	Si vede che sei stanco.	
5	Ha detto il servizio Meteo che domani è una brutta giornata.	
6	Sapevamo tutti che era ora di andare a casa.	
7	Possiamo supporre che tu sia giovane.	

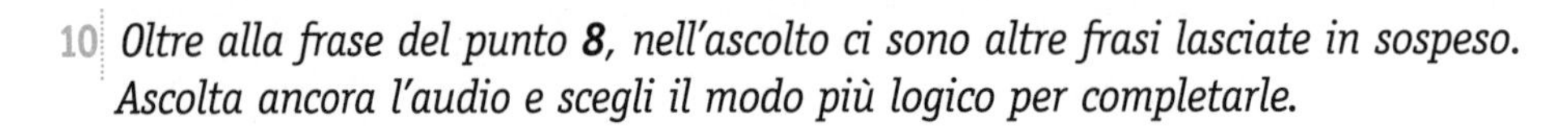

10 *Oltre alla frase del punto **8**, nell'ascolto ci sono altre frasi lasciate in sospeso. Ascolta ancora l'audio e scegli il modo più logico per completarle.*

1. Uomo: Mah sì, bah, adesso... l'italiano è la lingua che uso per vivere ma all'inizio...	**a.** ...non mi piaceva. **b.** ...mi sembrava musicale. **c.** ...non lo sapevo.
2. Uomo: Sì, però, noi lo ammettiamo. Ammettiamo che la nostra lingua è...	**a.** ...priva di logica. **b.** ...priva di una grammatica. **c.** ...priva di interesse.
3. Uomo: Queste lettere, *silent letters*, che trovata! Quando ci sarà una lingua in cui ci sono le lettere silenti...	**a.** ...sarà un grande momento. **b.** ...allora capirai. **c.** ...sarà incomprensibile.

7 Un eroe dei nostri tempi

1 *Leggi l'estratto da un articolo del giornalista Enzo Biagi.*

"Colpisce il carattere di un ventenne che comincia ad interessarsi alle vicende di camorra, a seguire i processi, a studiare le carte, a frequentare gli ambienti malavitosi della sua terra con lo scopo di capire e poi raccontare. Ed è stato proprio questo a creargli dei problemi."

2 *Secondo te, che tipo di problemi potrebbe aver avuto la persona di cui parla il giornalista?*

3 *Ascolta cosa dice la persona di cui parla Enzo Biagi. Sei ancora dell'opinione che hai espresso al punto **2**?* 25

4 *Ascolta tutta la registrazione e decidi chi è, secondo te, Roberto Saviano.* 26

○ **a.** Saviano è un politico molto conosciuto, che ha combattuto contro la malavita organizzata e adesso ha deciso di lasciare l'Italia.
○ **b.** Saviano è un ex poliziotto che ha arrestato molti criminali e adesso è minacciato di morte.
○ **c.** Saviano è uno scrittore che ha scritto sulla malavita organizzata e adesso vuole andar via dall'Italia perché è minacciato di morte.

5 *Ascolta e decidi se le affermazioni sono vere **(V)** o false **(F)**.*

	V	F
1. Quando Saviano ha ricevuto la protezione dalla polizia tutta la gente pensava che era stato arrestato.		
2. Saviano viveva in un quartiere in cui i cambiamenti che arrivano dall'esterno non sono graditi.		
3. Saviano è stato minacciato da un gruppo di fondamentalisti religiosi.		
4. Il primo ragazzo intervistato pensa che non esista l'omertà.		
5. Il secondo ragazzo pensa che Saviano avrebbe fatto meglio a non denunciare niente.		
6. Saviano è considerato un elemento di disturbo da molti.		
7. Saviano, dopo aver scritto il suo libro, si è rifiutato di tornare a Casal di Principe.		

Roberto Saviano è nato a Napoli nel 1979.
È laureato in filosofia. Collabora con il giornale *la Repubblica* e la rivista *L'Espresso*. È autore di *Gomorra*, un romanzo-*nofiction* di enorme successo tradotto in 33 paesi.
La letteratura e il reportage sono gli strumenti che Roberto Saviano usa per raccontare la realtà.
Dal 13 ottobre 2006, in seguito alle minacce ricevute per il suo romanzo, fortemente accusatorio nei confronti della camorra, Roberto Saviano vive sotto scorta.

6 *Scegli, per ogni espressione, l'alternativa corretta.*

a. scherzare	○ **1.** fare dell'umorismo ○ **2.** dire dell'umorismo
b. vita protetta con speciali misure	○ **1.** vita corazzata ○ **2.** vita blindata
c. uomo inseguito senza tregua	○ **1.** uomo incalzato ○ **2.** uomo braccato
d. situazione complessa e non lieta	○ **1.** situazione drammatica ○ **2.** situazione teatrale
e. essere scoperto	○ **1.** venire fuori ○ **2.** arrivare fuori
f. pena che determina la morte	○ **1.** condanna a morte ○ **2.** sanzione a morte
g. estremismo religioso	○ **1.** oltranzismo religioso ○ **2.** fondamentalismo religioso
h. insieme delle organizzazioni criminali (mafia, camorra, ecc.)	○ **1.** mafie organizzate ○ **2.** criminalità organizzata

7 *Completa la trascrizione con le espressioni corrette della colonna a destra del punto **6**. Attenzione: le espressioni con i verbi devono essere coniugate! Poi ascolta e verifica.* 27

Giornalista 1: Buongiorno, sembra quasi che Roberto Saviano scherzi e ______________ sulla sua ______________, la vita di un ______________: in realtà è una ______________ e la sua drammaticità ______________ proprio in quest'ultimi due giorni, quando si è saputo che c'è comunque una ______________ da eseguire nei suoi confronti, una fatwa, che non è stata pronunciata da un ______________ ma è stata pronunciata da, purtroppo, da un fondamentalismo camorristico, di ______________. E oggi su *Repubblica* Saviano dice: "Rivoglio la mia vita e lascio l'Italia". Ma lì, sul territorio, Saviano com'è considerato?

8 *Osserva la trascrizione al punto **7** e decidi quali costruzioni, tra quelle riportate di seguito, hanno valore passivo.*

	Ha valore passivo	Non ha valore passivo
1. è venuta fuori		
2. si è saputo		
3. da eseguire		
4. è stata pronunciata		
5. è considerato		

La forma passiva

La frase passiva può essere costruita con **essere** o con **venire + participio passato**.

Esempio: *Il pacco **è stato portato** ieri.*
*Il questionario **viene dato** all'ufficio informazioni.*

L'ausiliare **venire** non può essere utilizzato con i tempi composti (passato prossimo, trapassato prossimo, futuro anteriore, ecc.) ma solo con i tempi semplici.
L'ausiliare **venire**, rispetto ad **essere**, sottolinea il valore dinamico dell'azione.
La frase passiva può essere costruita con il verbo **andare + participio passato** e ha il valore di necessità.

Esempio: *Questo lavoro va fatto entro lunedì (deve essere fatto).*

Anche il verbo **andare** può essere usato solo con i tempi semplici.

9 *Decidi come può essere trasformata la forma passiva presente nella frase qui sotto.*

...c'è comunque una fatwa da eseguire nei suoi confronti...

- ○ **a.** ...c'è comunque una fatwa che **è eseguita** nei suoi confronti...
- ○ **b.** ...c'è comunque una fatwa che **deve essere eseguita** nei suoi confronti...
- ○ **c.** ...c'è comunque una fatwa che **viene eseguita** nei suoi confronti...
- ○ **d.** ...c'è comunque una fatwa che **va eseguita** nei suoi confronti...

10 *Ascolta più volte la risposta che Roberto Saviano ha dato in un'altra intervista e cerca di capire quale domanda gli è stata fatta.* 28

11 *Ora scrivi la domanda e completa la risposta con i pronomi relativi della lista, solo dove necessario. Poi ascolta e verifica.* 29

che **chi** **in cui**

Intervistatore: ______?

Saviano: Confesso che molte volte ______ ho risposto fingendo, fingendo ho risposto ______ così seccamente: "Si, lo rifarei". Per essere più onesto, come dire, anche con me stesso e con ______ mi ascolta c'è da dire che so di aver fatto una cosa ______ può essere stata importante per le coscienze di molti, ma, ma non c'è mattina ______ non ci sia il pensiero a dire: "Ma perché, perché ho fatto questo? Magari potevo farlo in maniera diversa, ______ potevo gestirlo in maniera diversa. Perché a un certo punto non mi sono accorto che stavo sacrificando tutto?"
E... e tante volte ______ mi viene da dire che non so se ne valeva la pena.

Mafia, Camorra, 'Ndrangheta e Sacra Corona Unita

Mafia è un termine con cui ci si riferisce ad una particolare tipologia di organizzazione criminale. Si tratta di una "organizzazione di potere" che si serve di alleanze e collaborazioni con funzionari dello Stato per realizzare attività illegali. Il termine Mafia indicava inizialmente solo una organizzazione criminale originaria della Sicilia, definita come Cosa nostra.

La **Sacra Corona Unita** è un'organizzazione mafiosa che ha il suo centro in Puglia e che ha trovato negli accordi criminali con organizzazioni dell'est europeo la sua specificità per emergere e distaccarsi dalle altre mafie italiane. Ha raggiunto il suo apice tra la fine degli anni '80 e l'inizio degli anni '90. Successivamente all'intervento dello Stato, e a un gran numero di arresti, è stata notevolmente indebolita.

Con il termine **Camorra** si indica l'insieme delle attività criminali organizzate che si sviluppano principalmente in Campania, ma che oggi hanno interessi anche al di fuori di queste zone di sviluppo. La Camorra è composta da molti clan diversi tra loro per tipo di influenza sul territorio, struttura organizzativa, forza economica e modus operandi. Le alleanze fra queste organizzazioni possono sfociare in contrasti o vere e proprie guerre di Camorra, con agguati ed omicidi.

Con il termine **'Ndràngheta** si indica la criminalità organizzata calabrese. Oggi la 'Ndrangheta è la più forte e pericolosa organizzazione criminale in Italia. Nella regione Calabria la 'Ndrangheta svolge un profondo condizionamento sociale fondato sia sulla forza delle armi che sul ruolo economico attualmente raggiunto attraverso il riciclaggio del denaro sporco, spesso con una forte connivenza di esponenti della pubblica amministrazione a livello locale e regionale.

8 Le apparenze ingannano

30

1 *Ascolta e rispondi alla domanda.*

Con chi parla Sandro?

- ○ **a.** Con un impiegato dell'ufficio postale.
- ○ **b.** Con un amico.
- ○ **c.** Con suo fratello.
- ○ **d.** Con un dottore.

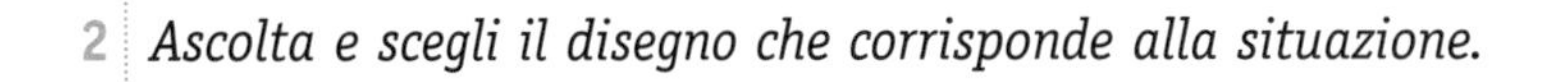

2 *Ascolta e scegli il disegno che corrisponde alla situazione.*

a

b

c

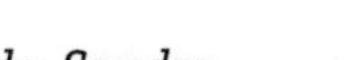

3 *Ascolta e scegli la sequenza corretta della scena descritta da Sandro.*  31

a.	Sandro e la mamma vanno in banca per ritirare la pensione e prendere o depositare denaro.	La mamma di Sandro è malata e Sandro è molto anziano.	Sandro ha gli occhiali scuri per guardare meglio le persone.	Sandro entra e sua madre si siede.	Una guardia porta il numero a Sandro e la mamma.	Le persone fanno passare avanti Sandro e la mamma.
b.	Sandro e la mamma vanno in banca per ritirare la pensione e pagare le tasse.	La mamma di Sandro è anziana e Sandro è non vedente.	Sandro toglie gli occhiali scuri solo per parlare con la mamma.	Sandro aspetta fuori e sua madre fa la fila.	Una guardia chiama Sandro e gli dà le informazioni.	Un impiegato dice alle persone di far passare Sandro e la mamma.
c.	Sandro e la mamma vanno in banca per versare la pensione e pagare le bollette.	La mamma di Sandro è anziana e Sandro sembra non vedente.	Sandro ha gli occhiali scuri e non guarda nessuno.	Sandro si siede e la madre prende il numero.	Una guardia accompagna Sandro e la mamma ad uno sportello.	La guardia avverte l'impiegato che il turno successivo sarà di Sandro e della mamma.
d.	Sandro e la mamma vanno alla posta per ritirare la pensione e inviare soldi all'estero.	La mamma di Sandro sembra non vedente e Sandro non cammina bene.	Sandro non guarda le persone che hanno gli occhiali scuri.	Sandro e la mamma entrano e si siedono ad aspettare.	Una guardia chiama Sandro e la mamma quando è il loro turno.	Sandro e la mamma chiedono all'impiegato se possono passare prima.

4 *Ascolta ancora e cerca di capire perché le persone ridono. Poi vai al punto* ***5*** *per capire di più.*  31

Le persone ridono perché ______________________.

5 *Leggi la trascrizione. In certi momenti Sandro e Michele parlano in dialetto romanesco. Scegli quello che secondo te è romanesco. Poi ascolta per verificare.*

Sandro: Nessuno ha mai detto niente.
Flavia: Nessuno?
Sandro: Mai, mai.
Michele: Va be' una persona anziana, una signora anziana con un... non vedente!

Sandro: Eh! Diciamolo più alla romana: a.
1. 'na vecchia cu n'orbo!
2. 'na vecchia co' 'n cieco!
3. 'na vecia co' un orbo!

Michele: b.	Che fai: c.	d.
1. 'Na vecchia cu n'orbo! **2.** 'Na vecchia co' 'n cieco! **3.** 'Na vecia co' un orbo!	**1.** je dici quarcosa? **2.** ghe dize calcosa? **3.** ci dici carchi cosa?	**1.** Macari t'i mmiscanu! **2.** I te da anca e bote! **3.** Te menano pure!

Rischi di e.
1. pigghiari du tempulati!
2. pijà du schiaffi!
3. ciapar dos sciafoni!

6 *Adesso ricostruisci la conversazione come sarebbe stata se avessero usato il siciliano e il veneto! Scegli tra le espressioni al punto* ***5****.*

SICILIANO

Sandro: Nessuno ha mai detto niente.
Flavia: Nessuno?
Sandro: Mai, mai.
Michele: Va be' una persona anziana, una signora anziana con un... non vedente!
Sandro: Eh! Diciamolo più alla siciliana: **'na vecchia cu n'orbo!**
Michele: ______________________!
Che fai: ______________________?
______________________!
Rischi di ______________________!

VENETO

Sandro: Nessuno ha mai detto niente.
Flavia: Nessuno?
Sandro: Mai, mai.
Michele: Va be' una persona anziana, una signora anziana con Un... non vedente!
Sandro: Eh! Diciamolo più alla veneta: **'na vecia co' un orbo!**
Michele: ( )!
Che fai: ( )?
( )!
Rischi di ( )!

7 *Ricostruisci il racconto di Sandro. Poi ascolta e verifica.* 33

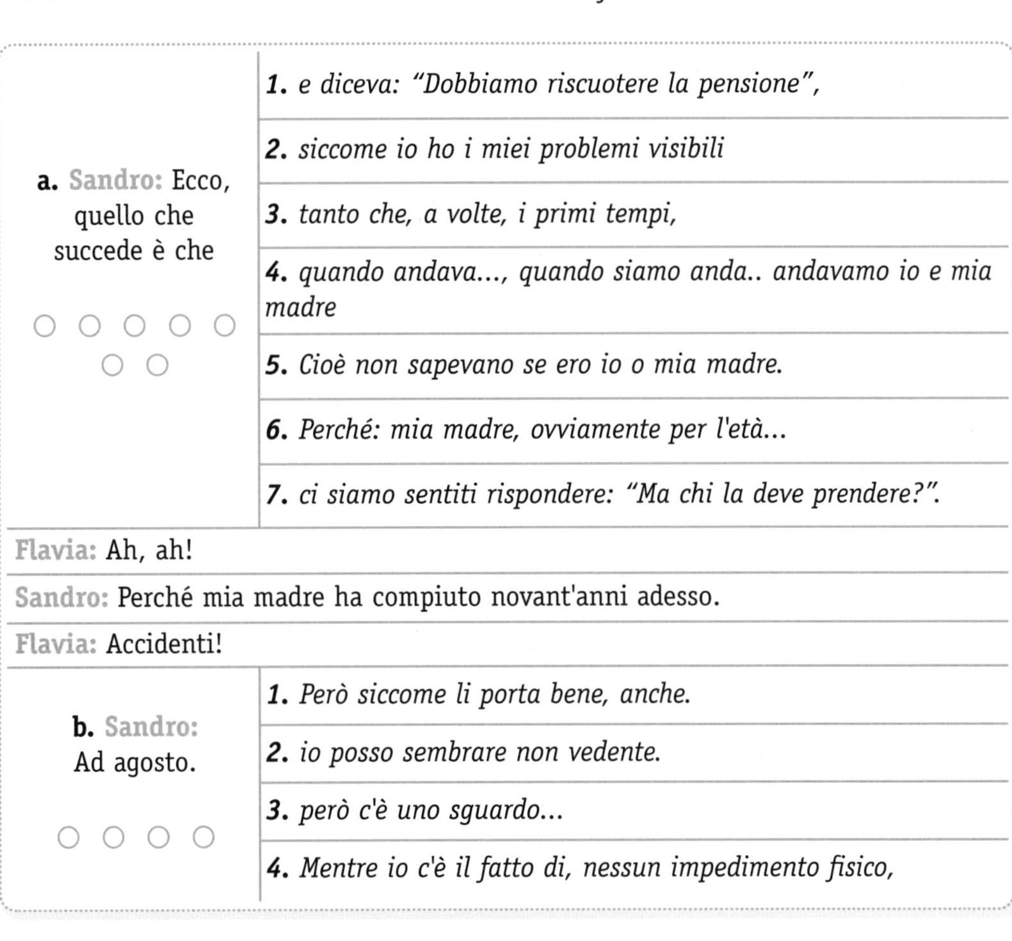

a. Sandro: Ecco, quello che succede è che ○ ○ ○ ○ ○ ○ ○	***1.*** *e diceva: "Dobbiamo riscuotere la pensione",*
	2. *siccome io ho i miei problemi visibili*
	3. *tanto che, a volte, i primi tempi,*
	4. *quando andava..., quando siamo anda.. andavamo io e mia madre*
	5. *Cioè non sapevano se ero io o mia madre.*
	6. *Perché: mia madre, ovviamente per l'età...*
	7. *ci siamo sentiti rispondere: "Ma chi la deve prendere?".*
Flavia: Ah, ah!	
Sandro: Perché mia madre ha compiuto novant'anni adesso.	
Flavia: Accidenti!	
b. Sandro: Ad agosto. ○ ○ ○ ○	***1.*** *Però siccome li porta bene, anche.*
	2. *io posso sembrare non vedente.*
	3. *però c'è uno sguardo...*
	4. *Mentre io c'è il fatto di, nessun impedimento fisico,*

8 *La frase **1** è tratta dal dialogo, la **2** e la **3** no. Indica qual è la differenza tra le tre costruzioni, poi rispondi alla domanda.*

1. Ci siamo sentiti rispondere	**2.** Ci è stato risposto
	3. Abbiamo sentito rispondere

○ **a.** Nessuna. In tutte e tre si vuole sottolineare il fatto che Sandro non si ricorda il nome dell'impiegato.
○ **b.** La frase **1** e la frase **2** sono passive, la terza è attiva.
○ **c.** Le tre frasi contengono la stessa informazione, ma la costruzione della frase **1** mette in evidenza la sorpresa di chi ha sentito la risposta.

Qual è la struttura della frase usata da Sandro, (la 1)?

○ **a.** Pronome indiretto + *sentire* + infinito
○ **b.** *Sentirsi* + infinito

9 *Trasforma le frasi usando la costruzione della frase **1** del punto **8**.*

a. Quando ho chiesto spiegazioni a Laura, lei mi ha risposto che era troppo tardi.

b. Mentre aspettavamo, abbiamo sentito che ci chiamavano al microfono.

c. Sono arrivati all'appuntamento e il direttore gli ha detto che era stato annullato.

d. Dopo aver lavorato tanto, hanno detto a Giovanni che era stato licenziato.

e. Siete venuti per ricevere dell scuse e lui vi ha dato la colpa di tutto.

9 Un nonno particolare

1 *Ascolta l'audio in cui Matteo parla del nonno. Secondo te che lavoro faceva il nonno di Matteo?*

a. L'esploratore.

b. Il pilota.

c. La spia.

34

2 *Ascolta molte volte l'audio e ricostruisci le battute di Matteo collegando le parole della colonna sinistra (in ordine) con quelle di destra (non in ordine), come nell'esempio.*

A.	**1.** Matteo: *E frequentando* →	**a.** il nonno
	2. un nipotino,	**b.** magari,
	3. può	**c.** da raccontare,
	4. innamorarsi	**d.** del nonno,
	5. quando	**e.** anche
	6. ha delle storie	**f.** *lui,*
	7. no?	
	Carlo: E certo!	
B.	**1.** Matteo: e le sue storie erano	**a.** storie avventurose,
	2. storie di volo,	**b.** belle,
	3. no, io volevo essere	**c.** probabilmente
	4. come	**d.** lui
	5. era stato	**e.** non so.
	6. da giovane,	**f.** un po'

A. 1. *f* 2. 3. 4. 5. 6.

B. 1. 2. 3. 4. 5. 6.

3 *Ascolta l'audio e verifica la tua risposta al punto **1**. Poi ascolta di nuovo tutte le volte necessarie per inserire quante più informazioni possibile nella tabella.*

Informazioni sul nonno di Matteo

4 *Riascolta l'audio e decidi se le affermazioni sul fascismo sono state fatte da Matteo **(V)** o no **(F)**.*

Matteo ha detto che:	V	F
1. Il regime fascista è durato circa vent'anni.		
2. Alla base dell'ideologia fascista vi era il culto di Roma, il culto dell'ordine, il culto della violenza e il rispetto assoluto del capo.		
3. La bonifica della Maremma è una delle opere pubbliche avviate sotto il fascismo.		
4. Durante il ventennio fascista l'arte venne considerata strumento di propaganda molto efficace.		
5. Negli anni del fascismo il servizio militare durava tre anni.		
6. Sotto Mussolini si ebbe la guerra di conquista dei territori africani, tra cui l'Etiopia e l'Eritrea.		
7. Durante la guerra in Etiopia l'aeronautica italiana usò il gas.		
8. Negli ultimi anni del regime fascista Mussolini si rifugiò a Salò, dove fondò una Repubblica con i suoi uomini più fedeli.		
9. All'interno del movimento fascista esistevano le cosiddette squadre d'epurazione.		

5 *Riascolta l'audio e collega le espressioni della colonna di sinistra con i significati della colonna di destra.*

Espressioni	Significati
1. nostalgico	**a.** persone appartenenti alla polizia speciale fascista
2. decoro	**b.** pulizia, disinfestazione
3. bonifica	**c.** che riguarda la guerra
4. leva	**d.** persona che rimpiange i tempi passati
5. bellico	**e.** periodo in cui i cittadini svolgono il servizio militare
6. Repubblica di Salò	**f.** comportamento, aspetto e modi di fare considerati come dignitosi
7. legionari/miliziani	**g.** dirigenti del partito nazionale fascista
8. gerarchi	**h.** stato fondato da Mussolini negli ultimi anni della seconda guerra mondiale, dopo la resa dell'Italia all'esercito anglo-americano
9. squadracce (squadre d'epurazione)	**i.** gruppi di persone che agivano con la forza contro i nemici del fascismo

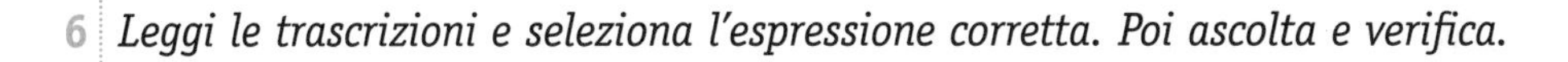

6 *Leggi le trascrizioni e seleziona l'espressione corretta. Poi ascolta e verifica.*

1. ...avrà avuto vent'anni quando il fascismo *è salito/è cresciuto* al potere...
2. ...faceva il geometra per *gli enti pubblici/le entità pubbliche*...
3. ...spiega molto anche della sua *congiuntura/convergenza* sul fascismo
4. ...per esempio, lui *costruì/fece* un po' di carriera da giovane...
5. ...l'Opera Bonifica Maremmana, un'opera pubblica *avviata dietro/avviata sotto* il fascismo
6. ...immagino ci fosse *un senso/un'impressione*, come dire, di riconoscenza...
7. ...io vi ho detto: "Avrei voluto fare addirittura la carriera *bellica/militare*", ma perché mi aveva influenzato...
8. ...all'epoca in cui lui è stato soldato, credo *la leva/l'allenamento* durasse tre anni...
9. ...erano il souvenir, il ricordo del suo impegno *combattente/bellico* durante la guerra in Etiopia...
10. ...l'aeronautica italiana, durante proprio quel *conflitto/dissenso*, insomma, aveva gassato...

11. ...perché erano quattro volumi tutti *dedicati/indirizzati* alla storia della Repubblica di Salò...
12. ...ho scoperto che lui era proprio nelle squadre *di eliminazione/d'epurazione*...
13. ...nelle squadracce che *operavano/si impegnavano* nell'aretino...

7 *Molto spesso, vi sono delle parole specifiche per determinate aree tematiche (l'economia, la scienza, la storia, la politica) e tipologie di testi (istruzioni per l'uso, dizionari, manuali, regolamenti).*
Leggi le tre definizioni tratte da Wikipedia e trova i sinonimi delle parole della lista (le parole sono in ordine), come nell'esempio.

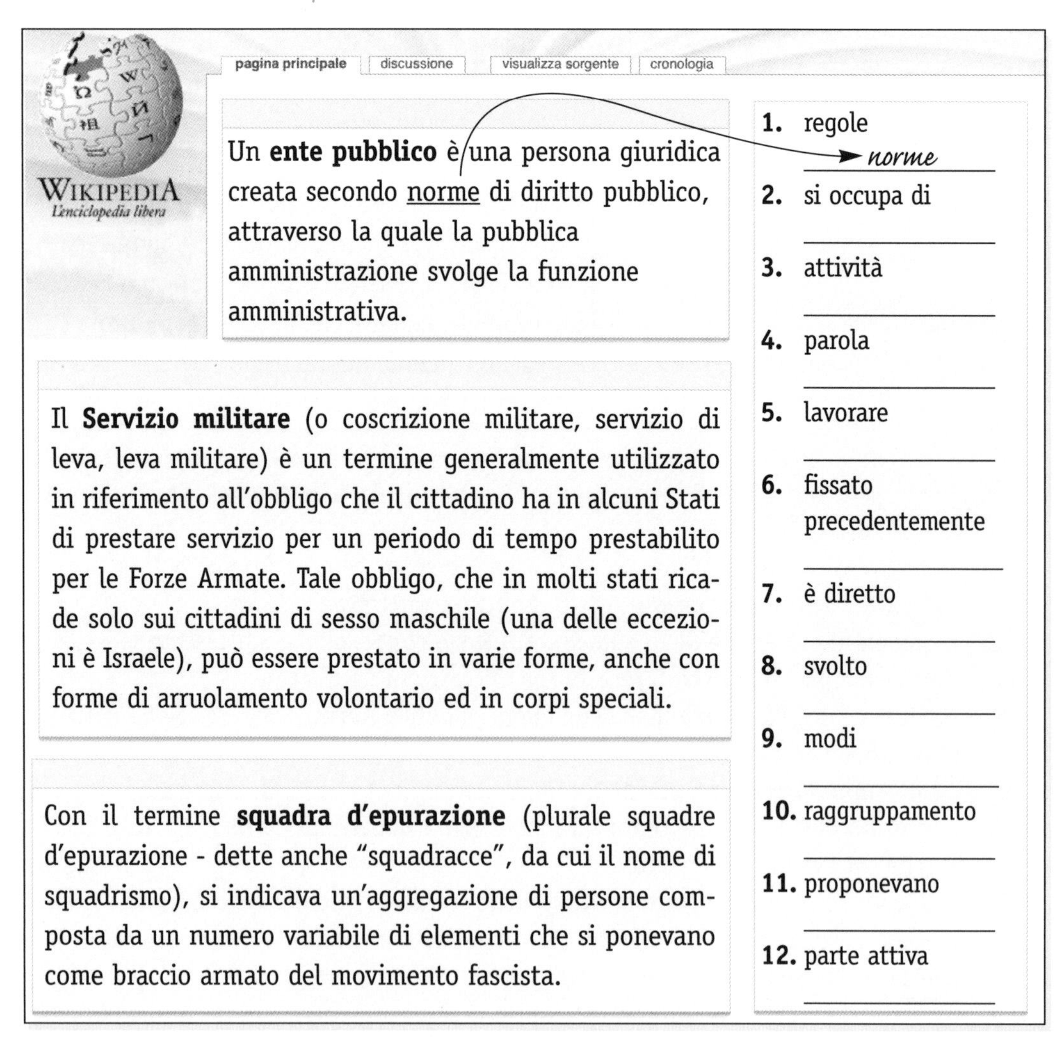

Un **ente pubblico** è una persona giuridica creata secondo norme di diritto pubblico, attraverso la quale la pubblica amministrazione svolge la funzione amministrativa.

Il **Servizio militare** (o coscrizione militare, servizio di leva, leva militare) è un termine generalmente utilizzato in riferimento all'obbligo che il cittadino ha in alcuni Stati di prestare servizio per un periodo di tempo prestabilito per le Forze Armate. Tale obbligo, che in molti stati ricade solo sui cittadini di sesso maschile (una delle eccezioni è Israele), può essere prestato in varie forme, anche con forme di arruolamento volontario ed in corpi speciali.

Con il termine **squadra d'epurazione** (plurale squadre d'epurazione - dette anche "squadracce", da cui il nome di squadrismo), si indicava un'aggregazione di persone composta da un numero variabile di elementi che si ponevano come braccio armato del movimento fascista.

1. regole → norme
2. si occupa di ____________
3. attività ____________
4. parola ____________
5. lavorare ____________
6. fissato precedentemente ____________
7. è diretto ____________
8. svolto ____________
9. modi ____________
10. raggruppamento ____________
11. proponevano ____________
12. parte attiva ____________

8 *Completa il testo coniugando i verbi. Poi ascolta e verifica.* 36

Matteo: Eh, faceva il geometra, ma faceva il geometra per gli enti pubblici e questo **1.** *(significare)* ______ tanto, cioè **2.** *(spiegare)* ______ molto anche della sua convergenza sul fascismo, perché per esempio lui **3.** *(fare)* ______ un po' di carriera, da giovane, proprio **4.** *(lavorare)* ______ per l'Opera Bonifica Maremmana, quindi un'opera pubblica **5.** *(avviare)* ______ sotto il fascismo, quindi immagino **6.** *(esserci)* ______ un senso, come dire di riconoscenza per quel tipo di...

Michele: Di opportunità

Matteo: E sì, sì. Io v'ho detto: **7.** "*(volere)* ______ fare addirittura la carriera militare", ma perché mi **8.** *(influenzare)* ______ molto lui.

9 *Decidi, per ogni verbo che hai scritto al punto **8**, il tempo e il modo in cui è coniugato tra quelli della lista.*

a. indicativo presente/ ______ ______

b. gerundio/ ______

c. condizionale composto/ ______

d. passato remoto/ ______

e. congiuntivo imperfetto/ ______

f. trapassato prossimo/ ______

g. participio passato/ ______

10 *Riguarda i punti **8** e **9**, poi indica quali tempi e modi esprimono le funzioni indicate, come nell'esempio.*

1. Serve a esprimere un desiderio non realizzato
Condizionale composto = Avrei voluto

2. Serve a indicare un passato percepito come molto lontano
______

3. Indica una condizione dipendente da un'opinione
______

4. Segnala un evento passato anteriore a un altro evento passato
______

5. Indica un'azione che si svolge contemporaneamente ad un'altra
______

6. Indica che il concetto espresso è ancora valido (2)
______

7. Sostituisce un passivo nel passato.
______

10 La famiglia di una volta

1 *Ascolta e indica a quali e a quante persone si riferiscono le affermazioni contenute nella colonna centrale, come nell'esempio.*

Margherita racconta che:	1. *erano molto autoritari* → f	a. Il padre
	2. sentiva la situazione come pesante	b. La zia
	3. gli si dava del voi	c. Il marito
	4. si offendevano se non si seguiva l'etichetta	d. La suocera
		e. Margherita
	5. si chiamava "mamma"	f. *I nonni*

2 *Ascolta e decidi se le affermazioni sono vere **(V)** o false **(F)**.*

		V	F
1.	Margherita chiamava il suocero "papà" perché altrimenti si sarebbe offeso.		
2.	Il marito di Margherita non chiamava "mamma" la suocera perché non ci riusciva.		
3.	La famiglia di Margherita e quella del marito vivevano nella stessa casa.		
4.	Una volta non ci si poteva rifiutare di lavorare nei campi.		
5.	Il papà di Margherita non andava mai a trovare la figlia.		
6.	Le donne avevano solo i soldi che venivano dalla vendita della carne di maiale.		
7.	I peli di maiale servivano per fare degli stracci.		
8.	Margherita stava con i suoi bambini solo poche ore nel pomeriggio.		
9.	Il corredo della figlia maggiore di Margherita lo aveva comprato la suocera.		
10.	Il marito di Margherita non ha mai comprato neanche un fazzoletto per i figli.		

3 *Completa il racconto con le parole della lista. Attenzione: tutte le parole sono alla forma base e alcune devono essere usate più di una volta. Poi ascolta e verifica.* 38

donna | figlio | genitore | mamma | marito | papà | parente | persona | suocero | uomo | nipote

Nella famiglia di una volta vi erano dei ruoli ben precisi. Quando una ______ si sposava doveva chiamare ______ e ______ i genitori del marito, mentre gli ______ erano più liberi e potevano chiamare come volevano i propri ______.
In generale tutte le ______ anziane erano molto importanti e autoritarie e bisognava dar loro del Voi.
Le famiglie di una volta erano anche molto grandi, ad esempio Margherita una volta sposata è andata a vivere, oltre che con il ______, con i ______ e con gli altri ______ del marito. Quando una ______ si sposava infatti entrava nella famiglia del ______ e abbandonava per sempre quella dei ______.
A quei tempi le ______ lavoravano tutto il giorno nei campi e i loro ______ erano affidati alle ______.
La ______ di Margherita amministrava anche i soldi di famiglia, comprava i vestiti per i ______ e si occupava della loro educazione.

4 *Ascolta e inserisci le espressioni mancanti al posto giusto, come nell'esempio.*

Eh no!	Sì,	Eh,	Eh!	Eh sì.
Ah sì?	Sì, sì, sì.	Eh,	Ah! No?	eh?
Ah sì?	*eh?!*	Sì,	Eh sì.	Eh sì,

A	B
Margherita: Sì, autoritari, molto autoritari. Katia: ________ Margherita: ________	Margherita: Non a mia mamma. Katia: ________ Margherita: ________ Suocera.
C	**D**
Katia: Ma voi vivevate nella stessa casa? Margherita: ________ Sempre in famiglia.	Margherita: Sicché avevo già una famiglia... Katia: ________ Margherita: ________ grande!
E	**F**
Margherita: Mi vergognava a presentarmi a tavola. Katia: ________ Margherita: ________ avevo vent'anni.	Katia: E con le sorelle, i fratelli... Margherita: ________ ben, dovevi mandar giù. Katia: Ma mandar giù... Margherita: ________ non c'era soldi.
G	**H**
Katia: Così? Margherita: ________ me lo ricordo benissimo. Katia: Duro però, ________ Margherita: ________	Margherita: Eravamo obbligati. Katia: Un po' maschilista, *eh?!*

5 *Ascolta molte volte e scrivi le espressioni evidenziate al punto **4**, insieme alla lettera corrispondente alla trascrizione, accanto alla funzione corretta, come nell'esempio.*

a. Proprio così: 1. *Sì, sì, sì (C)* 2. ______ 3. ______ 4. ______ 5. ______

b. Purtroppo!: 1. ______ 2. ______ 3. ______ 4. ______

c. Accidenti!: 1. ______

d. Ho ragione, vero?: 1. ______ 2. ______

e. Davvero?: 1. ______ 2. ______ 3. ______

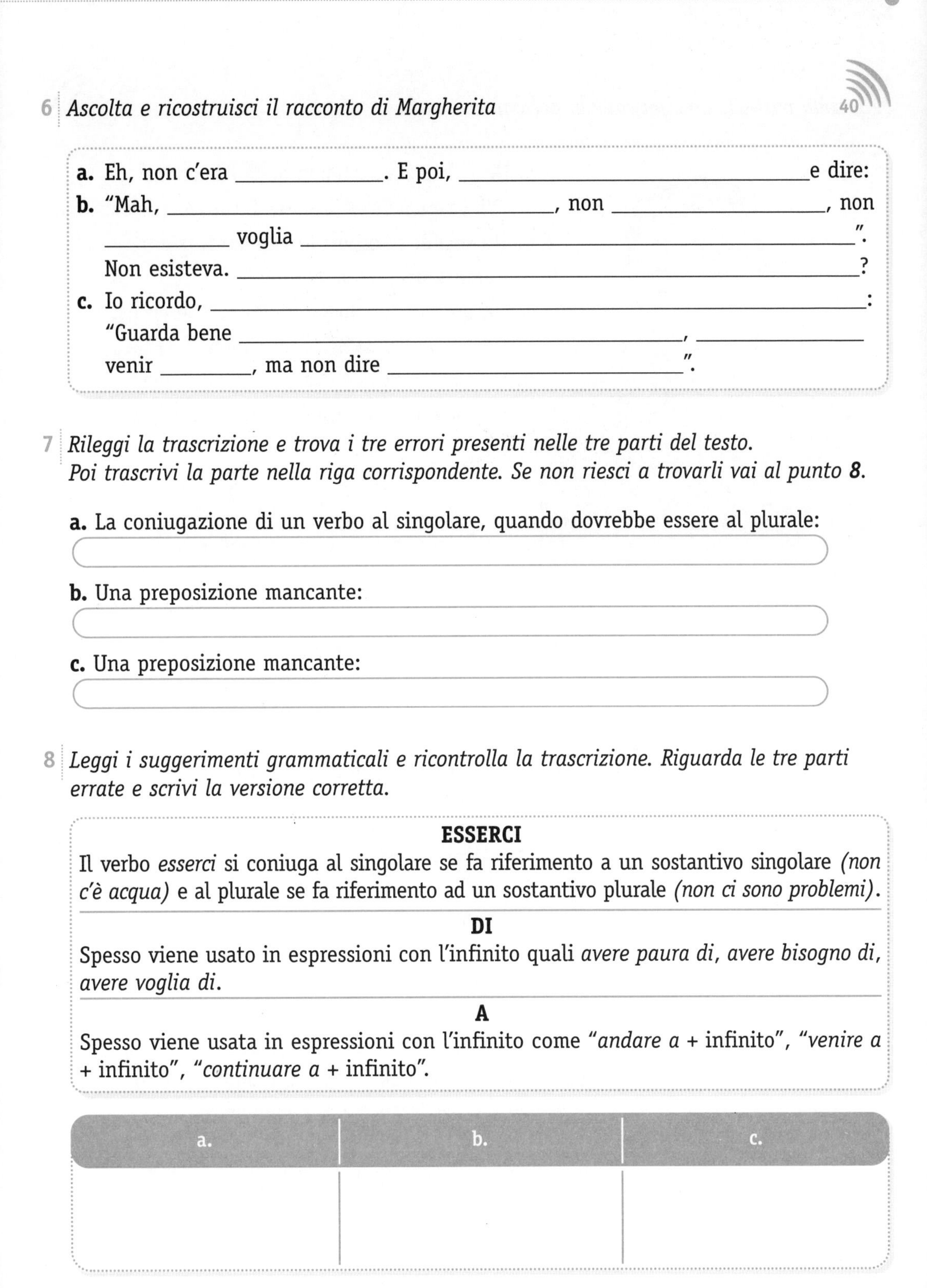

6 *Ascolta e ricostruisci il racconto di Margherita* 40

a. Eh, non c'era ______________. E poi, ________________________________e dire:
b. "Mah, ____________________________________, non ____________________, non
____________ voglia ____".
Non esisteva. ____?
c. Io ricordo, ____:
"Guarda bene ____, ________________
venir ________, ma non dire ___________________________".

7 *Rileggi la trascrizione e trova i tre errori presenti nelle tre parti del testo. Poi trascrivi la parte nella riga corrispondente. Se non riesci a trovarli vai al punto* ***8****.*

a. La coniugazione di un verbo al singolare, quando dovrebbe essere al plurale:

b. Una preposizione mancante:

c. Una preposizione mancante:

8 *Leggi i suggerimenti grammaticali e ricontrolla la trascrizione. Riguarda le tre parti errate e scrivi la versione corretta.*

ESSERCI

Il verbo *esserci* si coniuga al singolare se fa riferimento a un sostantivo singolare *(non c'è acqua)* e al plurale se fa riferimento ad un sostantivo plurale *(non ci sono problemi)*.

DI

Spesso viene usato in espressioni con l'infinito quali *avere paura di, avere bisogno di, avere voglia di*.

A

Spesso viene usata in espressioni con l'infinito come "*andare a* + infinito", "*venire a* + infinito", "*continuare a* + infinito".

a.	b.	c.

11 Daniele Luttazzi: blog, TV e satira

1 *Ascolta più volte e decidi chi è la persona che parla.*

- ○ **a.** Un politico a sostegno della campagna "Vivi veramente: boicotta internet e televisione".
- ○ **b.** Un sociologo esperto in comunicazioni durante un talk show.
- ○ **c.** Un produttore cinematografico che accusa la televisione della crisi del cinema.
- ○ **d.** Un attore satirico contrario all'isolamento provocato da internet e dalla televisione.

2 *Adesso ascolta l'audio completo. Sei ancora della stessa opinione del punto **1**?*

3 *Ascolta ancora e abbina ai soggetti della colonna di sinistra le varie opinioni espresse dall'intervistato nella colonna di destra.*

a. Il blog

b. La televisione

c. Daniele Luttazzi

d. La gente

e. La satira

1. Sempre più raramente partecipa attivamente alla vita reale.
2. È contro il potere e contro il potere della satira.
3. Ha smesso di comunicare in modo diretto e lo fa rimanendo in casa.
4. Non si interessa agli ascolti del programma di Luttazzi.
5. Dà un potere lusinghiero.
6. Si sta disabituando alla satira impegnata.
7. Riesce a condizionare i contenuti di quanto comunica.
8. Ha la funzione di addormentare le coscienze.
9. La sua influenza dà vita a un leader con una massa al seguito.
10. Tornerebbe a fare satira in tv ma non gli viene permesso.

4 *Ascolta ancora l'intera registrazione. Che opinione hai di Luttazzi? Decidi quali delle seguenti frasi potrebbe aver detto l'attore nel corso di altre interviste o in altri contesti.* 42

- ○ **a.** La satira non fa propaganda ad alcun partito, ma esprime un'opinione. Chi censura un autore satirico, censura le sue opinioni. Un tempo si chiamava fascismo.
- ○ **b.** Io sono per difendere sempre la satira, ma quando è a senso unico fa danni.
- ○ **c.** La satira è una forma di comicità che esprime un giudizio.
- ○ **d.** La satira è sacrosanta, ma bisogna evitare le polemiche.
- ○ **e.** Ha paura della satira chi ha qualcosa da nascondere.
- ○ **f.** Un limite alla libertà esiste sempre: nessuno è infinitamente libero, né i satirici né altri.
- ○ **g.** La satira è contro il potere. Contro ogni potere, anche quello della satira.
- ○ **h.** Il problema delicato è che la sacrosanta libertà di satira deve finire dove comincia il diritto alla dignità e alla incolumità personale. Se la satira arriva a ledere questi diritti inviolabili bisogna fermarsi.

5 *Leggi le frasi e completale, quando lo ritieni necessario, con le parole mancanti. Poi ascolta e verifica.*

1. Mi sono reso conto ______ la forma blog non è neutra.
2. È molto lusinghiero ______ avere questa cosa.
3. Era necessario ______ evitare questa cosa.
4. Mi piacerebbe ______ anche altri lo facessero.
5. Ha mai avuto modo ______ parlarne con altri suoi colleghi?
6. È importante ______ la gente cominci a uscire di casa.
7. È importante ______ uscire e incidere, secondo me.
8. Ha scelto, almeno per ora, ______ allontanarsi dalla TV.
9. Non gli interessa ______ fare ascolti.
10. Allora, forse, ho speranza ______ poter tornare a fare comicità...
11. Mi piacerebbe ______ poterlo fare.

6 *Rileggi le frasi estratte dall'intervista del punto **5** e rispondi alle domande, come negli esempi.*

○ **a.** In quali casi il **soggetto** della frase principale è la frase dipendente?

2-

○ **b.** In quali casi l'**oggetto** della frase principale è la frase dipendente?

1-

7 *Completa le regole sull'infinito nella frase dipendente e inserisci gli esempi usando le frasi del punto **5**.*

L'infinito nella frase dipendente

a. Nella maggior parte dei casi, per poter usare l'infinito nella frase dipendente, il soggetto dell'infinito deve essere

○ **1.** diverso dalla } frase principale.
○ **2.** lo stesso della

b. Si può usare l'infinito nella frase dipendente quando questa ha la funzione di

○ **1.** oggetto del verbo della frase principale (frase oggettiva implicita).
○ **2.** soggetto del verbo della frase principale (frase soggettiva implicita).
○ **3.** oggetto o soggetto del verbo della frase principale.

c. Si deve far precedere la frase dipendente dalla preposizione **di** quando questa ha la funzione di

○ **1.** oggetto del verbo della frase principale (frase oggettiva implicita).
○ **2.** soggetto del verbo della frase principale (frase soggettiva implicita).
○ **3.** oggetto o soggetto del verbo della frase principale.

Le oggettive implicite sono:

1. ______
2. ______
3. ______

Le soggettive implicite sono:

1. ______
2. ______
3. ______
4. ______
5. ______

8 *Inserisci la preposizione **di** tra principale e dipendente solo dove è necessaria.*

1. Ha capito essere ancora innamorato.
2. È necessario arrivare puntuali al lavoro.
3. Speravo guardare la TV con gli amici.
4. Ritengo avere il consenso di tutti.
5. Non sopporto tornare a casa troppo tardi.
6. È impossibile poter completare il lavoro in tempo.
7. Preferisco rimanere ancora qualche giorno.
8. Hanno deciso rimandare il viaggio

9 *Trasforma le frasi del punto **8** da implicite a esplicite, come nell'esempio. Attenzione: devi usare i soggetti indicati nella lista e coniugare i verbi della dipendente al tempo opportuno.*

1. io 2. voi 3. tu 4. lui 5. voi 6. lei 7. tu 8. voi

1. *Ha capito che (io) sono ancora innamorato.*
2.
3.
4.
5.
6.
7.
8.

FININVEST E RAI

L'azienda Fininvest fu formalmente fondata nel 1978 a Milano da Silvio Berlusconi. Fininvest S.p.A è la holding di uno dei maggiori gruppi di comunicazione a livello internazionale, che opera in posizioni di leadership nei settori della televisione commerciale e del cinema con Mediaset e la sua controllata Medusa, dell'editoria con Mondadori oltre che dello sport con il Milan.

La RAI, Radiotelevisione Italiana S.p.A., comunemente abbreviata in RAI o Rai, è la radio e televisione di Stato italiana, cioè la società concessionaria in esclusiva del servizio pubblico radiotelevisivo italiano. Opera, oltre che nel settore televisivo e radiofonico, anche in quello editoriale e cinematografico.

10 *Ascolta questo brano in cui Luttazzi parla di "ukase bulgaro". Qui sotto ci sono tre possibili spiegazioni di questo termine. Prova a scegliere quella che secondo te corrisponde alla situazione descritta da Luttazzi e poi riascolta il brano e verifica.* 43

○ **a.** La locuzione editto bulgaro (o editto di Sofia, diktat bulgaro o ukase bulgaro) è utilizzata nel dibattito politico italiano per indicare le vicende seguite a una dichiarazione del 18 aprile 2002 del Presidente del Consiglio Silvio Berlusconi, durante una visita ufficiale a Sofia.
Berlusconi denunciò quello che, a suo dire, era stato un «uso criminoso» della tv pubblica da parte dei giornalisti Enzo Biagi e Michele Santoro e dell'autore satirico Daniele Luttazzi, affermando successivamente che sarebbe stato «un preciso dovere della nuova dirigenza» RAI non permettere più il ripetersi di tali eventi. I tre dopo poco non lavoreranno più nella RAI, nonostante gli alti ascolti del pubblico.

○ **b.** La locuzione editto bulgaro (o editto di Sofia, diktat bulgaro o ukase bulgaro) è utilizzata nel dibattito politico internazionale per indicare le vicende seguite a una dichiarazione del 18 aprile 2008 del ministro Bossi, durante una visita ufficiale a Sofia.
Bossi, denunciò quello che, a suo dire, era stato un «uso criminoso» della tv da parte dei giornalisti Enzo Biagi e Michele Santoro e dell'autore satirico Daniele Luttazzi, affermando successivamente che sarebbe stato «un preciso dovere della dirigenza» Finivest non permettere più il ripetersi di tali eventi. I tre dopo poco non lavoreranno più nella Fininvest, nonostante gli alti ascolti del pubblico .

○ **c.** La locuzione editto bulgaro (o editto di Sofia, diktat bulgaro o ukase bulgaro) è utilizzata nel dibattito politico italiano per indicare le vicende seguite a una dichiarazione del 18 aprile 2008 del Presidente del Consiglio Silvio Berlusconi, durante una visita ufficiale a Sofia.
Berlusconi proclamò quello che, a suo dire, era stato un «uso criminoso» della tv da parte dei giornalisti Enzo Biagi e Michele Santoro e dell'autore satirico Daniele Luttazzi, affermando successivamente che sarebbe stato «un preciso dovere del Parlamento» non permettere più il ripetersi di tali eventi. I tre, che non registravano un grande ascolto del pubblico, dopo poco non lavoreranno più nella RAI.

11 *Leggi l'opinione di Luttazzi sul rapporto tra satira e televisione di oggi.*

Daniele Luttazzi blog

È che la gente si sta disabituando alla satira e alla comicità un po' adulta. Quella che viene ammessa alla televisione adesso è una comicità tranquilla, light. Ci vuole Stanlio e Ollio, ma non solo. C'è anche un'altra possibilità e mi piacerebbe poterlo fare.

Nella trascrizione precedente mancano alcuni segnali discorsivi tipici della lingua orale che Luttazzi usa parlando con l'intervistatrice. Ascolta il brano e inseriscile negli spazi. Poi collegale alle funzioni corrispondenti, come nell'esempio.

1. (Eh), è che la gente si sta disabituando alla satira e alla comicità un po' adulta, **2.** (____), **3.** (____)? Quella che viene ammessa alla televisione adesso è una comicità tranquilla, light, **4.** (____)? E va benissimo. Ci vuole Stanlio e Ollio, **5.** (____), ma non solo **6.** (____). C'è anche un'altra possibilità e **7.** (____) mi piacerebbe poterlo fare.

a. *conclude il concetto espresso*
b. *indica che la definizione non è precisa*
c. *esclamazione che esprime approvazione*
d. *chiede la partecipazione dell'interlocutore*
e. *introduce la dichiarazione rafforzandone lo stato d'animo*
f. *chiede la partecipazione dell'interlocutore*
g. *introduce la conseguenza logica*

7. ____

12 Errori di ortografia

1 *Ascolta e rispondi alla domanda.*

Perché l'uomo urla "aiuto"?

- ○ **a.** Perché Paola è una ragazza terribile.
- ○ **b.** Perché il ragazzo ha paura che Paola dica di no.
- ○ **c.** Perché in italiano non si invita mai una ragazza a bere.
- ○ **d.** Perché nella frase c'è un errore d'italiano molto grave.

2 *Ascolta l'audio e decidi qual è l'argomento del programma radiofonico. Puoi segnare più di una risposta.*

- ○ **a.** I messaggi più divertenti per conquistare un ragazzo/una ragazza.
- ○ **b.** Diversi esempi di errori di ortografia.
- ○ **c.** Gli stranieri che fanno errori in italiano.
- ○ **d.** Vari tipi di errori di grammatica.
- ○ **e.** Giochi di parole molto comuni in italiano.

3 *Ascolta e decidi: quanti sono gli errori che vengono elencati?* 46

○ meno di 10 ○ 11 - 18 ○ 19 - 25

4 *Gli italiani non sono molto bravi a trascrivere l'inglese. Decidi come sono state scritte le parole di seguito. Poi ascolta e verifica.*

Michael	
Andrew	
Clyde	
W	

5 *Ascolta ancora e completa le frasi riportando gli errori descritti. Poi inserisci gli errori nel cruciverba.*

a. L' ________ *(13-O)* agli italiani.

b. Grazie di avermi fatto provare ________ *(10-O)* ________ *(2-O)* della velocità.

c. Vale se han chiesto un ________ *(8-V)* verificatore?

d. Il mio amore è così grande che il mio cuore non lo riesce a ________ *(4-V)*.

e. Hanno aggiunto una "r", in mezzo. Ed è diventato ________ *(12-O)*.

f. Serena il mio amore per te è maggiore del numero dei granelli di sabbia della ________ *(3-O)*.

g. Vuoi venire a ________ *(2-V)* qualcosa con me?

h. O ________ *(1-V)* una notte d'________ *(9-O)*.

i. Tanti auguri alla mia ________ *(11-O)*.

l. Se il mio amore per te ________ *(5-V)* un fiore vivremmo una eterna primavera.

m. Irene, io ti ________ *(3-V)*.

n. ________ *(7-O)* l'ora che ti vedo. Ti amo.

o. La droga ________ *(6-V)*.

6 *Da dove sono stati presi gli errori del punto* **5**? *Per ogni frase scegli una delle possibilità della lista. Poi ascolta e verifica.*

Scritta su un muro	Mail	Lettera	SMS ricevuto	Frase detta	Scritta per terra	SMS inviato	Cartello stradale

a.		**h.**	
b.		**i.**	
c.		**l.**	
d.		**m.**	
e.		**n.**	
f.		**o.**	
g.			

7 *Leggi il racconto di Gianni Rodari e completa la tabella degli errori (a pag. 60), come nell'esempio.*

La macchina ammazzaerrori

Una volta il professor Grammaticus inventò la macchina ammazzaerrori.
Girerò l'Italia, egli annunciò, e farò piazza pulita di tutti gli errori di pronuncia, di ortografia e simili. Comincerò da Milano.

A Milano il professore andò a sedersi a un tavolino di caffè, mise in funzione la macchina e attese. Ordinò un tè al cameriere, e il cameriere, milanese puro sangue, gli domandò:
- Ci vuole il limone o una sprussatina di latte?
Le due esse erano appena uscite al posto delle due zeta dalla sua bocca lombarda, che la macchina ammazzaerrori indirizzò energicamente il suo tubo aspirante in faccia al cameriere.
- Ohei! Ma lei mi vuole ammassare!
Sploff! Nuova sberla volante, questa volta all'orecchio sinistro.
Il cameriere cominciò a gridare: - Aiuto, aiuto! C'è un passo!
Voleva dire pazzo, naturalmente, ma la macchina non gli perdonò. *Spliff!!!*
Il professor Grammaticus, dopo infiniti sforzi e sospiri, riuscì a schiacciare il tasto giusto e a far star cheta la sua macchina.
- Ce l'ha la licensa?
Cielo, un vigile urbano.
- Licenza! Licenza, con la zeta, gridò Grammaticus.
- Con la seta o sensa, ce l'ha la licensa? Si può mica andare in giro a vendere elettrodomestici senza autorissasione.
Quella nuova pioggia di esse tolse addirittura il fiato al professore. Gli convenne seguire il vigile al comando, pagare una multa, pagare la tassa per la licenza e ascoltare un discorsetto sull'onestà in commercio.
La sera sbarcò a Bologna, deciso a fare un'altra prova.
Si cercò un albergo e stava già per andare a dormire, quando il portiere dell'albergo lo richiamò:
- Mi scusi bene, sa, mi deve lassiare un documento.
Squash! La macchina ammazzaerrori scattò.
- Perché non pronuncia lasciare come va pronunciato?
- Senta, signore, non stiamo a far ssene...
Skroonk! Il tubo aspiratore aveva colpito alla spalla il portiere.
Il professor Grammaticus corse a barricarsi in camera, ma il portiere lo seguì, cominciò a tempestare di pugni la porta chiusa a chiave e gridava:
- Apra quell'ussio, apra quell'ussio!
Sprook! Spreeek! Anche il tubo aspiraerrori, dal di dentro, batteva contro la porta. Il professor Grammaticus tacitò il portiere con una ricca mancia, chiamò un taxi e si fece riportare alla stazione.
Dormì qualche ora sul treno per Roma, dove giunse all'alba.
- Mi sa indicare dove posso prendere il filobus numero 75?
- Proprio davanti alla stazzione, rispose il facchino interpellato.
Un colpo bene (o male) assestato fece volar via il berretto del facchino.
- Aho! E che d'è un attentato?

Ora le spiego...
- No, no, te la spiego io la situazzione, fece il facchino, minaccioso.
Questa volta il tubo colpì la vetrina del giornalaio, perché il facchino aveva abbassato prontamente la testa.
- Uscì il giornalaio gridando: Chi è che fa 'sta rivoluzzione?
La macchina lo mise K.O. con un uppercut al mento.
Accorsero gli agenti. Il resto si può leggere nel verbale della Pubblica Sicurezza.
Alle tredici e quaranta il professor Grammaticus riprendeva tristemente il treno per il Nord.
La macchina? Eh, la macchina aveva tentato di mettere zizzania anche tra le forze dell'ordine: c'erano in questura, tra gli agenti: torinesi, siciliani, napoletani, genovesi, veneti, toscani.
La macchina era scatenata, impazzita. Fu ridotta al silenzio a martellate, non ne rimase un pezzetto sano. Il professore, del resto, aveva capito che la macchina esagerava: invece di ammazzare gli errori rischiava di ammazzare le persone. Eh, se si dovesse tagliar la testa a tutti quelli che sbagliano, si vedrebbero in giro soltanto colli!

da Gianni Rodari, *Il libro degli errori*, 1979, Einaudi

	errore	problema	correzione
Milanesi	*sprussatina*	*"ss" invece di "zz"*	*spruzzatina*
Bolognesi			
Romani			

1. Il mondo dell'informazione

1. c.
2. 1/i, 2/d, 3/g, 4/h, 5/a, 6/n, 7/o, 8/f.
4. **Fabio:** 1, 3; **Giornalista moderno:** 2, 4, 5, 9, 10, 11, 12; **Giornalista del passato:** 8, 13, 14; **Cattivo/Buon giornalista:** 6, 7.
5. a. cose importanti; b. mia radio; c. vero e proprio stipendio; d. università italiane; e. moderne tecnologie; f. macchina fantastica; g. tecnologie digitali; h. tantissime informazioni; i. corrispondenti naturali; l. estremo oriente; m. buon giornalista; n. difetto peggiore; o. certe cose; p. altre cose; q. cose spiacevoli; r. peggior difetto.
6. a. prima del sostantivo; b. dopo il sostantivo; c. prima del sostantivo.
7. b.
8. a.
9. sentii, cercava, Chiamai, arrivai, feci, andai, Ci sono voluti, ce l'ho fatta.
10. Oggi il vero problema dei giornalisti, sia di carta stampata che di radio e televisione, è **non** avere le notizie ma scegliere tra le notizie. Quello che **non** viene scelto **non** esiste per gli ascoltatori e per i lettori.
11. c.
12. c.

2. Meglio soli...

1. *Meglio soli* che male accompagnati; c.
2. c.
3. a, c, d, e.
4. a, d, e, f.
5. **Mamma di Giorgio:** *Io gradirei* che si sposasse per avere una famiglia, altrimenti la scelta è sua; **Giorgio:** *Ma* io sto benissimo così, mamma; **Mamma di Giorgio:** *E stai* benissimo ma io penso al domani, più che altro; **Giorgio:** *Ma* il domani, ma l'importante è l'oggi! **Condizionale semplice**: gradirei, **Congiuntivo imperfetto**: si sposasse.
6. a. Condizionale; b. Congiuntivo.
7. imperfetto.
8. 1/venissi; 2/prendessi; 3/sia venuto; 4/siate; 5/partecipassi; 6/sia partita.
9. *Insomma*, Certo, no, Chiaro, Basta, mamma mia, hai capito.
10. a/certo - chiaro; b/mamma mia; c/no? – hai capito?; d/*insomma*; e/basta.
11. a. *Meglio* tardi che mai; b. *Meglio* un uovo oggi che una gallina domani; c. *Meglio* un giorno da leone che cento da pecora; d. *Meglio* poco che niente; e. *Meglio* un asino vivo che un dottore morto; f. *Meglio* invidiati che compatiti. 1/b, 2/a, 3/c, 4/f, 5/d, 6/e.

3. Giovanni Allevi: vivere per la musica

1. c.
2. c.
3. 1/ti; 2/mi; 3/ne; 5/*musicando*li; 6/*poter*lo, ci; 7/mi; 8/ci, Ci, la.
4. ci, ne, ci.
5. a/carampana, b/autografo, c/capitare.
6. 1/a, 2/h, 3/c, 4/e, 5/b, 6/g, 7/f, 8/i, 9/d.
7. Ci fai fare l'autografo da Jovanotti.
8. c.
9. 1. Io ti faccio telefonare da mio padre per la conferma.; 2. Voi ci fate recapitare il messaggio dal corriere.; 3. Il direttore gli fa mostrare l'ufficio dalla segretaria.; 4. Noi ti facciamo spiegare la regola dal professore.; 5. Il negozio gli fa portare il pacco dal fattorino.; 6. Gli faccio comunicare la mia decisione da Marta.
10. Giornalista 1: **Senti,** *ti sei accorto di che cosa è successo tra te e il mondo?* ***Perché*** *io suonavo musica classica,* **flauto traverso,** *a otto anni,* **non ve l'ho mai detto amici,** *quando ero piccola, ed ero una sfigatissima, tra i miei amici...*
Giornalista 2: *Sì,* **ma** *anche adesso non è che...*
Giornalista 1: *Cioè tutti stavano lì che facevano le cose e io: "Classica, ah, che schifo flauto traverso": sfigata. E a un certo punto è successo qualcosa in Italia,* **per cui** *i pianisti come te, come Stefano Bollani, Danilo Rea,* **cito i più famosi,** *sono diventati delle star, dopo,* **per tanti anni** *aver fatto la gavetta,* **dove** *non dico che fossero considerati come me,* **poverina** *quando suonavo il flauto traverso,* **però** *avevano maggiori difficoltà.* **Secondo te,** *che è successo?*
Allevi: *È successo che è arrivato Giovanni Allevi!*

4. La commedia all'italiana

1. **Generi cinematografici:** cinema dei telefoni bianchi, cinema fascista, neorealismo, commedia all'italiana, spaghetti western; **Titoli di film:** "Il sorpasso", "Umberto D", "Ladri di biciclette",

"Senso"; **Attori:** Sordi, Gassman.
2. *a/Stefano*, b/Stefano, c/Carlo, d/Tutti e due, e/Carlo, f/Nessuno dei due, g/Stefano, h/Tutti e due, i/Tutti e due.
3. 1/gradevole, 2/piacevole, 3/gustosa, 4/sfiziosa, 5/briosa.
4. 1. gradevole, deriva da gradire/verbo; 2. piacevole, deriva da piacere/verbo; 3. gustosa, deriva da gustare/verbo; 4. sfiziosa, deriva da sfizio/nome; 5. briosa, deriva da brio/nome.
5. 1/artigianale, deriva dal nome artigiano, il suffisso è **-ale**; 2/sostanziale, deriva dal nome sostanza, il suffisso è **-ale**; 3/stereotipata, deriva dal nome stereotipo, il suffisso è **-ato**; 4/economico, deriva dal nome economia, il suffisso **-ico**; 5/emergente, deriva dal verbo emergere, il suffisso è **-ente**; 6/impressionistiche, deriva dal nome impressione, il suffisso è **-istico**.
6. sì; eh; sì; ma, non so, prendi; Sordi; ecco; sì; ecco; eh, sì, sì; sì, allora, questa grandezza; sì, va be', ma.

5. Segni zodiacali

1. a/1, b/10, c/11, d/6, e/8, f/9, g/7, h/4.
2. acquario, bilancia, scorpione.
4.

	Ipotesi sul segno zodiacale	Segno Zodiacale
Ivan	cancro, capricorno	ariete
Mario		cancro
Nicoletta	acquario, bilancia	scorpione
Roberta	pesci, bilancia	vergine

5. Mauro/1, Roberta/4, Ivan/3, Nicoletta/2.
6. *a*, b, f, h, i.
7. **Ivan:** *Ma io non* ho mai capito... a cosa servono i segni zodiacali.
Mauro: Non è che servano...
Ivan: Visto che voi siete... degli esperti.
Mauro: *No... un po'* è un gioco e un po' è per verificare, se effettivamente, almeno dal mio punto di vista, se ci sono delle corrispondenze. Personalmente le *trovo*.
Roberta: *No*, ci sono influenze... astrali, comunque, non so come, non è che credo all'oroscopo in sé, però c'è qualche influenza.
Nicoletta: *Sì, anch'io*. Mi piace continuare a vedere se ci sono *delle*... appunto, delle corrispondenze.
9. 1/non è che, 2/appunto, 3/comunque, 4/almeno.
10. **Ivan**: Mah, io non ho mai capito **(...)** a cosa servono i segni zodiacali
Mario: Non è che servano. **(X)**
Ivan: visto che voi siete **(...)** degli esperti.
Mario: No **(...)** un po' è un gioco **(X)** e un po' è per verificare, se effettivamente, almeno dal mio punto di vista, se ci sono delle corrispondenze. **(X)** Personalmente le trovo. **(X)**
Roberta: No, ci sono influenze **(...)** astrali, comunque, **(...)** non so come, **(X)** non è che credo all'oroscopo in sé, **(X)** però **(...)** c'è qualche influenza.
Nicoletta: Sì, anch'io. **(X)** Mi piace **(...)** continuare a vedere se ci sono delle **(...)** appunto, delle corrispondenze.

6. Una lingua poco logica

1. 1/b, 2/c, 3/b.
3. *La risposta è soggettiva. Proponiamo la seguente:* scherzoso, ironico, polemico, amichevole.
4. 1, 2, 4, 5, 7, 12.
5. 3, 9.
6. 2, 5, 10.
7. 4, 3, 1, 2, -.
8. c, b.
9. 1. *Che abbia una caratteristica un po' più semplice nella lettura... (lo sai anche tu).*; 2. Che Franco sia innocente... (lo so per certo).; 3. Che tutti potessero vedere la sua espressione del viso... (Luisa lo sapeva).; 4. Che tu sia stanco... (lo si vede).; 5. Che domani sia una brutta giornata... (lo ha detto il servizio Meteo).; 6. Che fosse ora di andare a casa... (lo sapevamo tutti).; 7. Che tu sia giovane... (lo possiamo supporre).
10. 1/a, 2/a, 3/a.

7. Un eroe dei nostri tempi

2. *La soluzione è soggettiva.*
4. c.
5. 1/V, 2/V, 3/F, 4/F, 5/V, 6/V, 7/F.
6. a/1, b/2, c/2, d/1, e/1, f/1, g/2, h/2.

7. faccia dell'umorismo, vita blindata, uomo braccato, situazione drammatica, è venuta fuori, condanna a morte, fondamentalismo religioso, criminalità organizzata.
8. *Hanno valore passivo le costruzioni* 3, 4, 5.
9. b, d.
10. *La risposta è soggettiva.*
11. **Intervistatore:** Ma Lei rifarebbe tutto questo? **Saviano:** Confesso che molte volte ho risposto fingendo, fingendo ho risposto così seccamente: "Si, lo rifarei". Per essere più onesto, come dire, anche con me stesso e con **chi** mi ascolta c'è da dire che so di aver fatto una cosa **che** può essere stata importante per le coscienze di molti, ma, ma non c'è mattina **in cui** non ci sia il pensiero a dire: "Ma perché, perché ho fatto questo? Magari potevo farlo in maniera diversa, potevo gestirlo in maniera diversa. Perché a un certo punto non mi sono accorto che stavo sacrificando tutto?" E... e tante volte mi viene da dire che non so se ne valeva la pena.

8. Le apparenze ingannano

1. b.
2. b.
3. c.
4. *Le persone ridono perché* dicono una frase in dialetto romanesco.
5. a/2, b/2, c/1, d/3, e/2.
6. **Siciliano:** 'Na vecchia cu n'orbo! Che fai: ci dici carchi cosa? Macari t'i mmiscanu! Rischi di pigghiari du tempulati!; **Veneto:** 'Na vecia co' un orbo! Che fai: ghe dize calcosa? I te da anca e bote! Rischi di ciapar dos sciafoni!.
7. a/2, 3, 4, 1, 7, 5, 6; b/1, 4, 3, 2.
8. c, b.
9. a. Quando ho chiesto spiegazioni a Laura, mi sono sentito rispondere che era troppo tardi.; b. Mentre aspettavamo, ci siamo sentiti chiamare al microfono.; c. Sono arrivati all'appuntamento e si sono sentiti dire dal direttore che l'appuntamento era annullato.; d. Dopo aver lavorato tanto, Giovanni si è sentito dire che era stato licenziato.; e. Siete venuti per ricevere delle scuse e vi siete sentiti dare la colpa di tutto.

9. Un nonno particolare

1. b.
2. A. 1/*f*, 2/b, 3/e, 4/d, 5/a, 6/c; B. 1/b, 2/a, 3/f, 4/c, 5/d, 6/e.
4. 1/F, 2/F, 3/V, 4/F, 5/V, 6/V, 7/V, 8/F, 9/V.
5. 1/d, 2/f, 3/b, 4/e, 5/c, 6/h, 7/a, 8/g, 9/i.
6. 1. è salito; 2. gli enti pubblici; 3. convergenza; 4. fece; 5. avviata sotto; 6. un senso; 7. militare; 8. la leva; 9. bellico; 10. conflitto; 11. dedicati; 12. d'epurazione; 13. operavano.
7. 1/*norme*, 2/svolge, 3/funzione, 4/termine, 5/prestare servizio, 6/prestabilito, 7/ricade, 8/prestato, 9/forme, 10/aggregazione, 11/ponevano, 12/braccio armato.
8. 1. significa; 2. spiega; 3. fece; 4. lavorando; 5. avviata; 6. ci fosse; 7. Avrei voluto; 8. aveva influenzato.
9. a/1, 2; b/4; c/7; d/3; e/6; f/8; g/5.
10. 1. *Condizionale composto = Avrei voluto*; 2. Passato remoto = fece; 3. Congiuntivo imperfetto = ci fosse; 4. Trapassato prossimo = aveva influenzato; 5. Gerundio = lavorando; 6. Indicativo presente = significa, spiega; 7. Participio passato = avviata.

10. La famiglia di una volta

1. *1/f*; 2/e; 3/f, a, d; 4/c, f, d; 5/d.
2. 1/F, 2/F, 3/F, 4/V, 5/F, 6/F, 7/F, 8/V, 9/V, 10/F.
3. donna, mamma, papà, uomini, suoceri, persone, marito, suoceri, parenti, donna, marito, genitori, donne, figli, suocere, suocera, nipoti.
4. A. ***Margherita:*** *Sì, autoritari, molto autoritari.* ***Katia:*** Ah sì? ***Margherita:*** Eh sì.; B. ***Margherita:*** *Non a mia mamma.* ***Katia:*** Ah! No? ***Margherita:*** Eh no! Suocera.; C. ***Katia:*** *Ma voi vivevate nella stessa casa?* ***Margherita:*** Sì, sì, sì. *Sempre in famiglia.* *D.* ***Margherita:*** *Sicché avevo già una famiglia...* ***Katia:*** Eh! ***Margherita:*** Eh, *grande!*; E. ***Margherita:*** *Mi vergognava a presentarmi a tavola.* ***Katia:*** Ah sì? ***Margherita:*** Sì, *avevo vent'anni.*; F. ***Katia:*** *E con le sorelle, i fratelli...* ***Margherita:*** Sì, *ben, dovevi mandar giù.* ***Katia:*** *Ma mandar giù...* ***Margherita:*** Eh, *non c'era soldi.*; G. ***Katia:*** *Così?* ***Margherita:*** Eh sì, *me lo ricordo benissimo.* ***Katia:*** *Duro però, eh?* ***Margherita:*** Eh sì.; H. ***Margherita:*** *Eravamo obbligati.* ***Katia:*** *Un po' maschilista, eh?!.*
5. a/1. *Sì, sì, sì. (C)*, 2. Eh sì (A), 3. Sì (E), 4. Eh! (D), 5. Sì, (F); b/1. Eh, (F), 2. Eh sì, (G), 3. Eh sì.

(G), 4. Eh no! (B); c/1. Eh! (D); d/1. eh? (G), 2. eh?! (H); e/1. Ah sì? (A), 2. Ah sì? (E), 3. Ah! No? (B).

6. a. *Eh, non c'era* soldi. *E poi,* non potevi andare a casa *e dire:*; b. *"Mah,* questa cosa non mi piace, *non* la voglio, *non* ho *voglia* andare in campagna". *Non esisteva.* Anche perché dove andavi*?*; c. *Io ricordo,* quando mi sono sposata, il papà, mio, mi ha detto*: "Guarda bene* questa casa, se vuoi *venir* trovarmi*, ma non dire* più che è casa tua."

7. a. non c'era soldi; b. non ho voglia andare in campagna; c. se vuoi venir trovarmi.

8. a. non c'erano soldi; b. non ho voglia di andare in campagna; c. se vuoi venir a trovarmi.

11. Daniele Luttazzi: blog, TV e satira

1. d.

3. a/5, 9; b/4, 7, 8; c/10; d/1, 3, 6; e/2.

4. a, c, e, g.

5. 1/che; 2/-; 3/-; 4/che; 5/di; 6/che; 7/-; 8/di; 9/-; 10/di; 11/-.

6. a. *2*, 3, 6, 7, 9, 11; b. *1*, 4, 5, 8, 10.

7. a/1, b/2, c/1; *Le **oggettive implicite** sono:* 5, 8, 10; *Le **soggettive implicite** sono:* 2, 3, 7, 9, 11.

8. 1. Ha capito **di** essere ancora innamorato.; 2. È necessario arrivare puntuali al lavoro.; 3. Speravo **di** guardare la TV con gli amici.; 4. Ritengo **di** avere il consenso di tutti.; 5. Non sopporto **di** tornare a casa troppo tardi.; 6. È impossibile poter completare il lavoro in tempo.; 7. Preferisco rimanere ancora qualche giorno.; Hanno deciso **di** rimandare il viaggio.

9. 1. *Ha capito che (io) sono ancora innamorato.*; 2. È necessario che (voi) arriviate puntuali al lavoro.; 3. Speravo che (tu) guardassi la TV con gli amici.; 4. Ritengo che (lui) abbia il consenso di tutti.; 5. Non sopporto che (voi) torniate a casa troppo tardi.; 6. È impossibile che (lei) possa completare il lavoro in tempo.; 7. Preferisco che (tu) rimanga ancora qualche giorno.; Hanno deciso che (voi) rimandiate il viaggio.

10. a.

11. *1/Eh*; 2/diciamo; 3/no; 4/no; 5/perfetto; 6/insomma; 7/quindi. *1/e*, 2/b; 3/d; 4/f; 5/c; 6/a; 7/g.

12. Errori di ortografia

1. d.

2. b, d.

3. 19 - 25.

4. Michael/Maicol; Andrew/Endriu; Clyde/Claid; W/dabliu.

5.

			1 P							2 B	R	E	Z	Z	A
3 S	P	I	A	G	G	A				E					
P			S							V		4 C			5 S
O			A		6 C				7 V	E	D	O			A
S			T		I			8 C		R		N			R
9 A	S	S	O	G	N	O		O		E		T			E
S					Q			10 L	E			E			B
S					U			L				N			B
I				11 D	I	C	I	O	T	T	I	E	N	N	E
					N			P				R			
	12 M	R	E	D	A			13 I	T	A	G	L	I	A	
								O				O			

6. a. Mail; b. SMS ricevuto; c. *La risposta è soggettiva, proponiamo*: Frase detta; d. Scritta su un muro; e. Cartello stradale; f. Scritta su un muro; g. *La risposta è soggettiva, proponiamo*: Frase detta; h. Lettera; i. SMS ricevuto; l. Scritta su un muro; m. Frase detta; n. *La risposta è soggettiva, proponiamo*: Lettera; o. Scritta su un muro.

7.

	errore	problema	correzione
Milanesi	*sprussatina* ammassare passo licensa seta sensa autorissasione	"ss" invece di "zz" "ss" invece di "zz" "ss" invece di "zz" "s" invece di "z" "s" invece di "z" "s" invece di "z" "ss" invece di "zz"+ "s" invece di "z"	*spruzzatina* ammazzare pazzo licenza zeta senza autorizzazione
Bolognesi	lassiare ssene ussio	"ss" invece di "sc" "ss" invece di "sc" "ss" invece di "sc"	lasciare scene uscio
Romani	stazzione situazzione rivoluzzione	"zz" invece di "z" "zz" invece di "z" "zz" invece di "z"	stazione situazione rivoluzione

1. Il mondo dell'informazione

(□ Intervistatrice ● Fabio)

□ Allora Fabio, che lavoro fai?
● Faccio il giornalista.
□ Per chi lavori?
● Lavoro per la RAI che è il servizio pubblico radiotelevisivo italiano.
□ Come sei diventato giornalista? Perché questa scelta?
● Come tutte le cose importanti della vita, spesso capita un po' per caso, un po' per gioco. Tanti e tanti anni fa sentii un appello fatto alla mia radio preferita, in cui si cercava qualcuno che desse una mano altrimenti la radio avrebbe chiuso. Chiamai, arrivai alla radio, feci la rassegna stampa, non me ne andai più. Ci sono voluti molti anni prima di raggiungere un vero e proprio stipendio, però, poi, alla fine ce l'ho fatta.
□ Come si diventa, oggi, giornalista?
● Beh, molti anni fa, molti colleghi sono diventati giornalisti seguendo percorsi analogo al mio, magari in un giornale, in un settimanale, pulendo i cestini di carta, come si diceva allora. Adesso, invece, si entra in modo molto più scientifico, infatti l'accesso più importante è quello attraverso le scuole di giornalismo che sono scuole di specializzazione, in genere postuniversitarie, molte università italiane hanno questi corsi, i giovani che escono sono molto preparati, sanno manovrare anche le moderne tecnologie, arrivano in redazione a fare degli stage e sono quasi sempre già pronti per entrare a lavorare a tempo pieno.
□ Rispetto a quando sei diventato giornalista tu, che cosa è cambiato?
● Sicuramente oggi c'è una tecnologia completamente differente.
Quando sono entrato io, e... i giornali in carta stampata venivano ancora fatti con una macchina fantastica che si chiamava linotype: da una parte c'era un crogiuolo con il piombo fuso, che stampava i caratteri che tu scrivevi su una tastiera. Oggi i giornali vengono impostati tutti in modo elettronico, attraverso computer, e poi l'avvento delle tecnologie digitali... permettono alla radio e alla televisione di avere tantissime informazioni video che arrivano da tutto il mondo. Ma poi ci sono le informazioni che arrivano attraverso i videotelefonini, che arrivano attraverso la rete dei corrispondenti naturali in tutto il mondo, penso ai frati comboniani in Africa o ai movimenti degli studenti, per esempio, in estremo oriente, che si sono battuti contro le dittature. Oggi il vero problema dei giornalisti, sia di carta stampata che di radio e televisione, è non avere le notizie ma scegliere tra le notizie. Quello che non viene scelto non esiste per gli ascoltatori e per i lettori.
□ Quali sono le caratteristiche indispensabili per diventare un buon giornalista?
● Mah, io direi, prima di tutto curiosità. Poi rigore, serietà e anche molta tenacia altrimenti non ci si fa.
□ Qual è invece, secondo te, il difetto peggiore di un giornalista?
● Guarda, sicuramente il conformismo. Molti pensano che i politici o i potenti di turno telefonino ai giornali, obblighino i redattori, i capiredattori o direttori a fare o dire o scrivere certe cose o a non scrivere altre cose, ma questo accade soltanto raramente. Nella maggior parte dei casi c'è una sorta di autocensura dei giornalisti che preferiscono non dire e non scrivere cose spiacevoli perché in questo modo si creano molti meno problemi, e questo è il peggior difetto.
□ Un'ultima domanda: se potessi tornare indietro, rifaresti questo lavoro?
● Mah, direi proprio di sì.

2. Meglio soli

(● Giorgio □ Mamma di Giorgio)

□ Io gradirei che si sposasse per avere una famiglia, altrimenti la scelta è sua.
● Ma io sto benissimo così, mamma.
□ E... stai benissimo... ma io penso al domani più che altro.
● Ma il domani... ma l'importante è l'oggi, io sto benissimo, cioè non posso stare insieme con una donna che magari non vado d'accordo, semplicemente per non stare da solo.
□ No, devi trovare una che va d'accordo con il tuo carattere. Sai già che sono due caratteri diversi, che devi accettare anche le sue idee.
● Sì, però non c'è niente di male a stare anche da soli, no?
□ Sono scelte personali.
● Tu non staresti da sola?
□ No, no.
● Mai?
□ La solitudine per me è una cosa...
● Ma non c'è mai un momento che dici: "Mamma mia, proprio... starei da sola!"?
□ Qualche momento, però una scelta di vita non la farei mai, da sola.
● Mai. Però c'è gente che sta da sola che sta anche bene.
□ Eh, l'ho detto... ognuno...
● Che poi voglio dire, magari uno ha tanti amici, va fuori, il tempo se lo passa così.
□ Sì, ma gli anni passano, non hai sempre trent'anni, quaranta, arrivano anche i settanta.
● Ma a settant'anni, puoi avere amici anche a settant'anni, no? Cioè uno può avere pochi amici a vent'anni...
□ Sì.
● ...e averne pochi a settanta e può averne tanti a venti, tanti a settanta!
□ Sì, gli amici de' trenta, de' quaranta, de' cinquanta... poi li perdi, perché hanno famiglia!
● Però, voglio dire, a settant'anni puoi stare da solo anche se sei... immagina di vivere con una persona, che non sei capito, allora sei... è ancora ancora peggio.
□ Ah no, ma certamente, ciò.
● Quindi è vero il proverbio "Meglio soli che male accompagnati".
□ È un proverbio da stupidi!
● Perché? È un proverbio, un proverbio che può essere saggio, tanti proverbi sono saggi.
□ Può essere anche saggio però insomma 'a vita s'è fatta più a due che a uno.

● Meglio essere male accompagnati che soli?
□ No, no male accompagnati. Insomma non sei stupido, devi capire, la persona, se è al tuo...
● Che stai bene o no.
□ Certo! Te devi capirla, no?
● Chiaro! Ma appunto per questo, dico, se capisci che non va, basta! Stai da solo.
□ Ne trovi un'altra, mamma mia!
● E va be', ma non... non è necessario trovare continuamente un'altra, magari uno sta tranquillo così, hai capito? Cioè non è necessario vivere insieme...
□ Se cerchi...
● ...vivere insieme...
□ ...sì, ma se cerchi, ci sono ragazze buone e ragazze... bandierine, allora se vai su quella scelta sai che te stai due giorni e dopo te g'ha finio.

3. Giovanni Allevi: vivere per la musica

(□ Giornalista 1 ▶ Giornalista 2 ●Giovanni Allevi)

□ Giovanni Allevi, guarda, grazie di esistere! Quello che ti ho visto fare prima di entrare in questo studio ancora non mi era mai capitato e da anziana signora carampana quale sono, ne avevo viste nella vita!
▶ Sì, sì.
□ Tu fai gli autografi musicandoli, musicando i nomi delle persone?
● Sì. Quando ho il tempo di poterlo fare, perché comunque ci vuole un po' di tempo. Sì, mi piace trasformare i nomi delle persone in melodie.
□ Io c'ho anche la mia ora! C'ho la mia melodia e non la saprò mai cantare! Questa è la mia disfatta!
▶ Io ho quella del mio bimbo e la faremo suonare da Allevi che continuerà ad avere un successo clamoroso anche per i prossimi quarantacinque anni. Sai che ieri c'era la fila fuori dai negozi, per il suo disco?
● Sì, me l'hanno detto, sì
□ Cosa ti ridi, *alé*!
● No, ma nel senso che è una manifestazione di affetto straordinaria... io non riesco a capacitarmi.
□ No, Giovanni, vuol dire che avremo i soldi per rifare il bagno! Leggevo da qualche parte che devi ristrutturare il bagno e siamo lì che aspettiamo il momento propizio, forse sarà questa fila per i dischi.
▶ Poi hai anche detto che era un po' una battuta, perché è stato ripreso proprio pedissequamente da tutti i giornalisti, adesso tutti noi ci indaghiamo: "Dove sono finiti i soldi per i diritti d'autore che tu hai guadagnato in questi anni?"
● No, ma io ho un contratto di esordiente.
▶ Sì, ma poi non puoi dire che finiranno nel cesso, è brutto! Cioè...
● No, ma io parlavo della vasca da bagno. Il mio sogno è avere una vasca da bagno, io vivo in un bilocale piccolissimo e c'è il box doccia e mi piacerebbe proprio mettermi lì, nella vasca da bagno, me la sogno. E se penso che tutta questa... queste note si trasformeranno in una vasca da bagno, allora penso che veramente viviamo in un'epoca di grandissimo splendore artistico e culturale.
□ Senti, ti sei accorto di che cosa è successo tra te e il mondo? Perché io suonavo musica classica, flauto traverso, a otto anni, non ve l'ho mai detto amici, quando ero piccola, ed ero una sfigatissima tra i miei amici...
▶ Sì, ma anche adesso, non è che...
□ Cioè tutti stavano lì che facevano le cose e io: "Classica, ah, che schifo flauto traverso: sfigata!".
E a un certo punto è successo qualcosa in Italia, per cui i pianisti come te, come Stefano Bollani, come Danilo Rea, cito i più famosi, sono diventati delle star, dopo, per tanti anni aver fatto la gavetta, dove non dico che fossero considerati come me, poverina quando suonavo il flauto traverso, però avevano maggiori difficoltà. Secondo te, cosa è successo?
● È successo che è arrivato Giovanni Allevi!
□ È successo che "Dio c'è" come nei caselli autostradali, ogni tanto succede qualcosa.
▶ Mi racconti di quella volta, che mi è piaciuto sempre tantissimo, ogni volta che la racconti mi diverto, che ti hanno inseguito quando aprivi per Jovanotti.
● Ah, sì, mamma mia. Mentre facevo i concerti con Jovanotti, io rimanevo sempre in disparte nel camerino anche a studiare... a preparare gli esami dell'università di filosofia, però una volta ho detto: "Voglio uscire, voglio entrare... voglio andare nel prato del concerto, lì, nel pomeriggio, per godermi un attimo un momento di gloria, perché poi le ragazzine insomma ti vedono con il Pass "Artista" e magari ti chiedono l'autografo, no?" E sono uscito ed effettivamente mi hanno riconosciuto e hanno preso ad inseguirmi, io sono scappato e poi ho detto: "No, mi faccio raggiungere, dai, un po' di celebrità!", così, mi hanno circondato della loro freschezza, dei loro sorrisi, mi hanno riempito le mani di taccuini, con delle penne, delle matite colorate, e una ragazza, che era quella che sembrava il loro capo, mi ha fatto una domanda che non dimenticherò mai...
□ Che ti ha chiesto?
● "Ci fai fare l'autografo da Jovanotti?"
□ / ▶ No!

4. La commedia all'italiana

(□ Stefano ● Carlo)

□ Ma a te piace veramente il cinema italiano? Perché io lo trovo... non lo so.
● Beh, il cinema italiano non so nemmeno che cosa sia, che tipo di entità sia.
□ No ma... no ma... no, va be', ma prendi dal dopoguerra in poi, lasciamo il periodo *dei telefoni bianchi*, il *cinema fascista*, eccetera. Ecco, andiamo per esempio... io non so... tanto clamore è stato fatto e soprattutto tanta rivalutazione, ex post fra l'altro, della *commedia all'italiana*.
● Ma ex post, perché ex post?
□ No, perché allora, per esempio come

è successo con Totò...
● Era considerato un cinema di serie B.
□ Era considerato un cinema artigianale, un cinema...
● Perché veniva ....
□ ...che secondo me lo è, cioè non è un grande cinema.
● Ma non lo so, mi sembra sostanziale il fatto che parliamo di *commedia all'italiana* e se... appunto è una cosa detta a posteriori, è una catalogazione a posteriori, poi in fondo non c'era nemmeno all'inizio grossa differenza con il *neorealismo*, cioè, il passaggio è stato molto più delicato di quello che sembra.
□ Ma, non so, prendi... sì, ma scusa, adesso, prendi Sordi... secondo te è un grande attore?
● Secondo me no, veramente, cioè Sordi non mi ha mai fatto impazzire, è una macchietta, 'sta macchietta dell'Italia, stereotipata.
□ Ecco, sì, sì, allora questa grandezza?
● È un grande attore perché fa l'italiano, però lo fa in modo stereotipato.
□ Si va be', ma... allora quando si parla della grandezza, questa grandezza della *commedia all'italiana* in che consisterebbe?
● Nell'aver ritagliato un momento e un modo dell'Italia del boom economico, in quegli anni, negli anni '60... fine anni '50, anni '60 e primi anni '70.
□ Sì, ma in chiave s(torica).
● È una fotografia dell'Italia di quegli anni, è una fotografia abbastanza fedele in fondo di una classe media emergente.
□ Sì però sempre così, con modalità bozzettistiche...
● Macchiettistica può darsi.
□ ...impressionistiche.
● Ma il cinema è così.
□ La *commedia all'italiana* a me sembrano tanti film fatti in serie, e in realtà addirittura, i registi stessi...
● Lo dicevano.
□ ...che possono ancora parlare oggi, cioè loro non avevano l'impressione di fare grandi film, di fare dei capolavori... oggi vengono celebrati come capolavori.
● Beh, "Il sorpasso" è un capolavoro. È una vera fotografia, una fotografia di un'estate, di un momento.
□ Sì, però poi sembra non so, inconcludente, alla fine stringi, pare che stringi un pugno di mosche in mano.
● Ma quella è la grandezza del film...
□ Ma non è vero, non è vero.
● ...che ti lascia con questo senso di... con questo senso di incompiutezza.
□ E ma no, tu vedi "Umberto D", c'hai una storia con una profondità, con un coinvolgimento emotivo
● sono film più ...
□ "Ladri di biciclette", "Senso"...
● ...sono film seri, che dicono qualche cosa sul mondo, mentre la *commedia all'italiana* è una fotografia.
□ No, ma poi... no, in cui poi c'è un impegno ed un esito, un risultato propriamente estetico, che io non trovo nella *commedia all'italiana*. Cioè va bene per un pomeriggio al cinema, va bene per un pomeriggio, un gradevole pomeriggio in televisione, voglio dire, è gradevole, è piacevole, è gustosa, è sfiziosa, è briosa, ma trovo, niente di più. Non è un caso che poi ogni attore avesse una sua ripetitività e poi costruivano addirittura i personaggi sugli attori.
● Certo.
□ Allora Gassman era il cialtrone, Sordi era il cinico.
● Ma il cinema è comunque un'industria che si autoglorifica e si riproduce sempre uguale a se stessa, anche...
□ Eh, ma non se(mpre).
● Anche gli *spaghetti western* sono stati...

5. Segni zodiacali

(●Nicoletta □ Mauro ▶Roberta ■ Ivan)

● Secondo te, Ivan, di che segno è?
□ Mah, Ivan, sì, ne avevamo parlato. Ivan, io avevo detto... potrebbe secondo me essere pure cancro, eh?
■ Ariete.
□ Ariete! Però ci avevo pensato.
● Mmmm, io, no.
□ No?
● Ma sai io (avevo pensato)...
■ Perché me lo chiedete?
● No, così, prima... mi è venuto... di pensare a questo.
□ No... digli la verità. Allora, praticamente, lei è arrivata e mi fa: "Ah ma tu sei cancro?". E io: "Sì!". Dico: "Ma scusa come, come lo sai?" E allora abbiamo cominciato a chiacchierare sui segni zodiacali.
● Sui segni zodiacali e quindi...
■ E quindi?
● Abbiamo pensato a te.
■ E perché avete pensato a me?
□ E beh?
● Perché... eri un po' indecifrabile.
■ Indecifrabile?
● Da questo punto di vista, sì.
■ E che legame c'era con il segno zodiacale?
● Beh, c'è un legame.
■ Sì, ma di che tipo? Caratteriale... ?
● Un po'... l'aspetto... esteriore, come ti poni, come sei.
■ Mah! Non vorrei sembrare sospettoso, secondo me avete fatto delle osservazioni su qualcosa che ha a che fare con l'ariete, non so, le corna... di cosa...
□ No, no.
● Ma io non sapevo che eri ariete però, le corna, ho pensato al capricorno, quindi...
■ Ah! Ho capito.
● Qualcosa c'è.
□ L'irruenza, qualcosa che mi aveva fatto pensare nel senso buono.
■ E avete fatto lo stesso anche su Roberta?
□ Eh, non abbiamo fatto ipotesi però a pensarci...
▶ Fatele adesso le ipotesi.
□ Mmmm.
● Allora, Roberta... di che segno può essere?
▶ Io di Ivan avrei pensato... o sagittario...
■ E perché sagittario?
▶ No, va be', così dai sagittari che

conosco, faccio deduzioni.
□ Pesci.
● Effettivamente perché... secondo...
▶ Io pesci? No.
● No. Bilancia!
▶ No.
□ Vergine.
▶ Mmm.
● Sì! Che fico!
□ Ecco vedi. Ero tra pesci e vergine, ero indeciso, infatti.
▶ Diversi, però!
□ Però, insomma, dai, oh! Almeno la seconda ci ho azzeccato.
▶ Bravo.
■ Ma io non ho mai capito... a cosa servono i segni zodiacali.
□ Non è che servano...
■ Visto che voi siete... degli esperti.
□ ...no... un po' è un gioco e un po' è per verificare, se effettivamente, almeno dal mio punto di vista, se ci sono delle corrispondenze. Personalmente le trovo.
▶ No, ci sono influenze... astrali, comunque, non so come, non è che credo all'oroscopo in sé, però c'è qualche influenza.
● Sì, anch'io. Mi piace continuare a vedere se ci sono delle... appunto, delle corrispondenze. Quindi se si ritrovano delle cose di... delle strutture profonde comuni.
■ Ma che stai dicendo?
● È così!
▶ Aspetta ma... tu... tu, invece, non ce l'hai detto, di che segno sei?
● No.
□ Eh, indovinate!
● Lui ha indovinato. Perché poi anche lui ha indovinato.
■ Cosa ha indovinato?
□ Eh!
● E beh, ora indovina tu se vuoi.
□ Il segno di lei.
■ Ah, beh, non lo so... secondo quale calendario?
□ Cinese.
■ Cinese, indiano...
▶ Aspetta, aspetta, cinese, 73, aspetta che ci arrivo, acquario?
● No.
■ No, secondo me, lei è... bilancia. Bilancia esiste come segno, no? Ok, che è uguale, mi sembra, all'uccello volante del calendario senegalese. Giusto?
● Uh! Non lo so.
■ No?
● Te lo sei inventato?
■ Dai, sto scherzando.
● Eh,va bene!
■ Non si può scherzare sui se(gni)?
□ Com'era, com'era? L'uccello volante...
● Uccello volante e senegalese.
□ Del famoso uccello che non vola...
● No, comunque non sono, non sono bilancia.
■ Ho capito.
● Vi aiuto?
□ Suggeriamo.
● È... un segno d'acqua.
■ Acquario!
□ Quello è aria, c'è il trabocchetto.
● Non è a... è aria!
▶ L'ho appena detto.
■ Ah aria! Scusate. Scorpione!
● Sì.
□ Bravo!

6. Una lingua poco logica

(● Diana □ Christopher)

● Tu sei rimasto in Italia princi..... principalmente?
□ Non per la lingua.
● ...non per la lingua, quella è stata una conseguenza. Però... ti piace...
□ Sì.
● Come la trovi?
□ Mah sì, bah, adesso... l'italiano è la lingua che uso per vivere ma all'inizio...
● Eh, come la vedevi all'inizio? Lingua passionale come...?
□ Sì. Sì, sì.
● È musicale, per esempio, la lingua secondo te?
□ Sì, mi sembrava musicale.
● Ok, mi hai detto... non... è difficile scindere la lingua dalle persone.
□ Sì.
● In che senso?
□ Mah, gli italiani... in Francia, e... cantavano sempre.
● E da lì, lingua musicale, ovviamente. Insomma, noi siamo un po' impulsivi e poco razionali talvolta ci dicono, ma anche nella lingua secondo te? No. La consideri una lingua logica?
□ No, voi la considerate logica, questa è la cosa!
● Come noi?
□ Sì, sì. No, no, io insegno inglese in Italia e spesso i miei studenti dicono: "L'inglese non ha una grammatica, no?". Per quello intendono che tutto nella lingua italiana è logico e quello è assolutamente falso.
● Che è falso... Perché è falso?
□ Perché... cioè voi, voi parlate di un uomo, e usate il femminile.
● In qualche eccezione.
□ No, no, no, dice...
● Ah lei, dare del Lei, la forma di cortesia.
□ No, no. "È una persona bella". No? State parlando di un uomo. E poi parlate delle persone e parlate al singolare, no?
● "La gente è", per esempio.
□ Eh! Ah, lo sai, la conosci l'assurdità della tua lingua.
● Beh, un po' sì, guarda. Un po' sì.
□ Ecco. Usate il futuro per parlare al presente.
● E, va be' questo ce l'avete anche voi! No? Tipo, saranno le 8. "Che ore sono? Saranno le 8".
□ Sì, però, noi lo ammettiamo. Ammettiamo che la nostra lingua è...
● Ecco sta lì la differenza
□ ...la differenza è lì. Voi dite, per esempio, dite che la lingua italiana si legge come si scrive
● Beh un po'... in questo qualche ragione c'è rispetto...
□ Rispetto a?
● All'inglese, per esempio?
□ Va be'.
● ...o al francese, no?
□ Francese?
● Nel francese è terribile la differenza tra lo scritto e poi la pronuncia, no?
□ No, no.
● Però.

□ Questo... e questo è un difetto degli italiani, questa considerazione di essere superiori ai francesi.
● Oh, questo semmai è il contrario. Sono i francesi che hanno, diciamo, la loro convinzione di essere superiori agli italiani, lo devono sempre sottolineare.
□ Questo è l'alibi, no? Per poi .....
● ....per poi parlare male dei francesi...
□ ...raccontare che è superiore al francese.
● Mah! Non credo, comunque, questo della lingua, non volevo dire che comunque la nostra fosse una lingua superiore al francese, però che abbia una caratteristica un po' più semplice nella lettura...
□ Diciamo che tutte le lingue, tranne inglese, si leggono come si scrivono.
● E quindi torniamo al discorso che l'inglese è un po' particolare, in questo.
□ L'inglese, noi non abbiamo mai detto che l'inglese si legge come si scrive e che vogliamo che le cose siano poetiche.
● Ho capito.
□ Queste lettere, *silent letters*, che trovata! Quando ci sarà una lingua in cui ci sono le lettere silenti....
● È un trabocchetto per...
□ Solo l'inglese!
● E da qui, il popolo eletto che dicevi.
□ Eh, sì...purtroppo.
● E si ritorna e si chiude il cerchio del popolo eletto, va bene.
□ Sì, sì. È vero.

7. Un eroe dei nostri tempi

(□ Roberto Saviano
● Giornalista 1 ■ Giornalista 2)

□ Io non dimenticherò mai il giorno in cui appunto mi vengono a prendere i carabinieri, quelli che ora sono "i miei ragazzi", ma erano in divisa all'epoca, il giorno in cui ho la protezione... allora mi fanno loro il trasloco, io scendo e la gente stava intorno alla macchina e dice: "Finalmente t'hanno arrestato!", no? Ed è una cosa che colpisce perché alla fine era... era... non mi è stato dato... attenzione in un quartiere dove chi viene arrestato non subisce affatto questo tipo di entusiasmo, anzi al contrario... perché questo? Perché dare la solidarietà a chi, in quel caso me, ma potevano essere anche altre persone, che va invece a intaccare l'ordine del quartiere?
Quindi si aiuta un ragazzo marocchino ma che poi diventava un operaio edile, se mi si apre un negozio: chiusa ogni tipo di solidarietà, l'aiuto immediato ad una persona che entra nel quartiere e si perde... viene accompagnata esattamente alla porta della persona che sta cercando perché così capisco tu chi sei. Cioè ci sono tutta una serie di forme di solidarietà che sono, sì certo, reali e che fanno galleggiare e sopravvivere, ma che hanno un preciso ordine, cioè quello di lasciare inalterato quello che sta, quello che è l'equilibrio in questi quartieri.

● Buongiorno, sembra quasi che Roberto Saviano scherzi e faccia dell'umorismo sulla sua vita blindata, la vita di un uomo braccato, in realtà è una situazione drammatica e la sua drammaticità è venuta fuori proprio in questi ultimi due giorni quando si è saputo che c'è comunque una condanna a morte da eseguire nei suoi confronti, una fatwa, che non è stata pronunciata da un fondamentalismo religioso, ma è stata pronunciata da, purtroppo, da un fondamentalismo camorristico, di criminalità organizzata. E oggi su *Repubblica* Saviano dice: "Rivoglio la mia vita e lascio l'Italia." Ma lì sul territorio, Saviano com'è considerato?

■ Senti tu conosci Roberto Saviano?
Ragazzo 1: Eh sì, ha denunciato la camorra e questa che c'è nella nostra zona. Per me, diciamo, è un esempio da seguire perché ha avuto il coraggio di denunciare un qualcosa difficile da combattere.
■ Tu intorno a te senti più omertà, silenzio o coraggio?
Ragazzo 1: C'è molta omertà.
Ragazzo 2: La prossima volta si faceva i fatti suoi che mo lo devono.. dice che lo devono ammazzare... so' fatti suoi.
Ragazza: Se stava zitto stava più sicuro.

Relatrice: Dobbiamo ricordare una cosa che è un dato di fatto, se oggi dei superlatitanti, dei criminali così pericolosi possono ancora agire indisturbati, possono scaricare raffiche di kalashnikov è perché godono di una omertà ancora molto diffusa. Testimoni oculari che fingono di non aver visto, persone che sanno, che nascondono armi, che nascondono munizioni, questo è un dato. Come è un dato che anche chi non fiancheggia il clan comunque ritiene Saviano un elemento di disturbo. A questo però è doveroso aggiungere che vi è una comunità a Casale, come in tutta la terra martoriata di Casal di Principe e della provincia casertana, che però spera che la sua partita vinca. Saviano con il suo libro diventa una testimonianza vivente che travalica il libro. Dopo il grande successo Saviano non si è limitato a confermare quello che ha scritto, ma è andato a Casal di Principe, è tornato nella piazza, ha sfidato a sua volta con le armi che la società civile e gli intellettuali hanno, cioè con la parola e con la potenza della sua parola e questo evidentemente ha aumentato esponenzialmente il valore del libro e questo lo ha sovraesposto certamente.
● Certo!

Intervistatore: Ma Lei rifarebbe tutto questo?
□ Confesso che molte volte ho risposto fingendo, fingendo ho risposto così seccamente: "Si, lo rifarei".
Per essere più onesto, come dire, anche con me stesso e con chi mi ascolta c'è da dire che so di aver fatto una cosa che può essere stata importante per le coscienze di molti, ma, ma non c'è mattina in cui non ci sia il pensiero a dire: "Ma perché, perché ho fatto que-

sto? Magari potevo farlo in maniera diversa, potevo gestirlo in maniera diversa. Perché a un certo punto non mi sono accorto che stavo sacrificando tutto?" E... e tante volte mi viene da dire che non so se ne valeva la pena.

8. Le apparenze ingannano

(□ Sandro ● Michele ▶ Flavia)

□ Perché, perché mia madre riscuote la pensione e con l'occasione paghiamo le fatture commerciali, poi c'abbiamo un libretto postale, in cui versiamo o ritiriamo, eccetera, e che altra operazione...? Queste, di questo tipo.
● Mmmm.
□ Ecco, quello che succede è che siccome io ho i miei problemi visibili, tanto che, a volte, i primi tempi, quando andava... quando siamo anda... andavamo io e mia madre diceva: "Dobbiamo riscuotere la pensione", ci siamo sentiti rispondere: "Ma chi la deve prendere?". Cioè non sapevano se ero io o mia madre. Perché: mia madre, ovviamente per l'età.
▶ Ah, ah!
□ Perché mia madre ha compiuto novant'anni adesso.
▶ Accidenti!
□ Ad agosto. Però siccome li porta bene, anche. Mentre io, c'è il fatto di, nessun impedimento fisico, però c'è uno sguardo... io posso sembrare non vedente. Anzitutto ho gli occhiali...
● Scuri
□ ...scuri. E poi non guardo, proprio. O guardo per terra o guardo di lato: cioè io non posso guardare. Quindi, posso dare l'impress... e poi si, si vede: mia madre, per esempio, arriviamo, mi trova subito un posto a sedere, io rimango a sedere e lei va. Cosa che...
● E lei fa la fila.
□ No, non fa la fila perché ci sono i numeri, però se si deve informare va lei. Cosa già un po' strana e poi mi si vede che, insomma, c'è qualcosa che non va. Quindi una volta hanno chiesto... il coso ha chiesto: "Ma chi deve prendere...?". Ora, quando noi arriviamo, c'è uno degli uscieri, molto gentile, che praticamente ci fa passare avanti. Cioè ci prende, ci porta in uno sportello dove già una persona viene servita e dice all'impiegato: "Allora guardi, dopo fai i signori". Nessuno ha mai detto niente.
▶ Nessuno?
□ Mai, mai.
● Va be' una persona anziana, una signora anziana con un... non vedente!
□ Eh! Diciamolo più alla romana: *"'Na vecchia co' 'n cieco!"*.
● *"'Na vecchia co' 'n cieco!"* Che fai: *je dici quarcosa? Te menano pure. Rischi di pijà du' schiaffi!*

9. Un nonno particolare

(□ Matteo ● Carlo)

□ No, non era un nostalgico, non direi questo, però era uno che... cos'è successo... avrà avuto vent'anni quando il fascismo è salito al potere e come dire... ci ha creduto e probabilmente credeva in un certo senso dell'ordine, della gerarchia sociale, del decoro borghese. Eh, faceva il geometra , ma faceva il geometra per gli enti pubblici e questo significa tanto, cioè spiega molto anche della sua convergenza sul fascismo, perché per esempio lui fece un po' di carriera da giovane proprio lavorando per l'Opera Bonifica Maremmana quindi un'opera pubblica avviata sotto il fascismo, quindi immagino ci fosse un senso, come dire, di riconoscenza per quel tipo di...
● Di opportunità...
□ ...e sì, sì. Io vi ho detto: "Avrei voluto fare addirittura la carriere militare", ma perché mi aveva influenzato molto lui ecco! Su questa strada. Perché lui era stato un pilota e frequentando lui, un nipotino, magari, può anche innamorarsi del nonno, quando il nonno ha delle storie da raccontare, no?
● E certo!
□ E le sue storie erano belle, storie di volo, storie avventurose... no, io volevo essere un po' come probabilmente era stato lui da giovane, non so. Era stato pilota da militare, all'epoca in cui lui è stato soldato credo la leva durasse tre anni e... ma lui era geometra, la sua professione era poi... tecnico del comune di... ora non mi ricordo prima di Grosseto poi di Firenze, mi sembra. Ho scoperto poi da dove venivano quelle due lance incrociate appese al muro, che stavano nel suo studio ed erano il souvenir, il ricordo del suo impegno bellico durante la guerra in Etiopia. Crescendo, studiando poi lessi su un libro di storia che l'Aereonautica italiana durante proprio quel conflitto, insomma aveva gassato gli etiopi... questo però l'ho scoperto dopo che lui morì. Quando lui è morto mia madre ha ereditato un po' della sua roba e anche molti dei suoi debiti, insomma...
● E anche le lance?
□ No, quelle se l'è tenute la matrigna. C'aveva un'edizione terrificante della storia della Repubblica di Salò, nascosta proprio. E io mi son detto: "Sarà anche che non era nostalgico, però...".
● Però!
□ Questa cosa della storia del... di... proprio un'edizione... una specie di piccola enciclopedia, perché erano quattro volumi tutti dedicati alla storia della Repubblica di Salò... impressionanti, pieni di foto, di immagini di legionari, di gerarchi, di miliziani... nome per nome... una roba terrificante, e mi son detto alla fine: "Ma..."
● Meglio non approfondire!
□ Il bello è che questo era il nonno materno e il nonno del nonno materno di mia madre era ancora più fascista, perché ho scoperto che lui era proprio nelle squadre di epurazione, insomma nelle squadracce che operavano nell'aretino. Terrificante... quindi io penso di essere il primo democratico in famiglia!

10. La famiglia di una volta

(● Katia □ Margherita)

● Com'erano i nonni nella famiglia? Avevano un'importanza...
□ Sì. Autoritari. Molto autoritari.
● Ah, sì?

□ Eh sì.
● Ma vi davate del Lei...?
□ Non del Lei del Vu!
● Del Voi!
□ Del Voi. *Mamma*, la suocera. Era un'offesa, proprio una... una offesa per il marito e per la suocera se non chiamavi *mamma*.
● Non era difficile chiamare... ?
□ Pesante, pesante, molto pesante, perché non sentivi che era mamma. Anche per quanto rispetto, non era mamma vera. Eh, sì, sì. Il suocero non mi sentiva di chiamare *papà*.
● Anche lui chiamava, suo marito chiamava *mamma*?
□ Non a mia mamma.
● Ah, no?
□ Eh no! *Suocera*. Perché gli uomini erano uomini. Le donne, era un dovere.
● Ah, ah!
□ Gli uomini, facevano a modo suo.
● Ma voi vivevate nella stessa casa?
□ Sì, sì, sì. Sempre in famiglia. C'era: due cognate e un cognato più giovane di me. Due... i suoceri e una zia, da sposare. Sicché avevo già una famiglia...
● Eh!
□ Eh, grande. Dopo quando si è ripresa la famiglia, avevo confidenza, ma le prime volte mi vergognava a presentarmi a tavola.
● Ah sì?
□ Sì. Avevo vent'anni. Ventuno.
● E perché?
□ Perché mi sentivo un'estranea, mi sentivo...
● E con le sorelle, i fratelli...?
□ Sì, ben, dovevi mandar giù.
● Ma, mandar giù...
□ Eh, non c'era soldi. E poi, non potevi andare a casa e dire: "Mah, questa cosa non mi piace, non la voglio, non ho voglia andare in campagna". Non esisteva. Anche perché dove andavi? Io ricordo, quando mi sono sposata, il papà, mio, mi ha detto: "Guarda bene questa casa, se vuoi venir trovarmi, ma non dire più che è casa tua."
● Così?
□ Eh sì! Me lo ricordo benissimo.
● Duro, però, eh?
□ Eh sì. No, non, non c'era separazione, non c'era. "Non venir dirmi niente della tua famiglia. Hai una famiglia e devi restare.". Eh, eravamo obbligati.
● Un po' maschilista, eh?
□ Eh, erano tutti così, sai?
● Ah!
□ Sì, sì, sì. Pensa che un volta, per avere un soldo in tasca, quando facevano i maiali, che uccidevano i maiali, il pelo dei maiali erano delle donne. Te li tenevi bene, li asciugavi...
● Ah, ah!
□ ...e poi passava quello che prendeva stracci, quello che vendeva...
● Ah, ah!
□ ...li vendevi, prendevi cinque lire: quelli era i soldi che avevi pa' tasca.
● Tutto quello che avevano le donne.
□ Non c'eran soldi. Li aveva la suocera. Il corredo delle miei figlie più vecchie è andato a prenderlo mia suocera. Io non ho preso neppure un fazzoletto.
● Ma pure sui figli la suocera, sui figli... ?
□ Eh sì, come vestiario, come tutto. Ti godevi i bambini, pomeriggio, quelle due ore che il marito, il suocero andava a riposare. E poi, li mettevi a dormire e li lasciavi in consegna alla suocera e tu partivi in campagna fino a sera tardi.
● Decideva tutto la suocera?
□ Poi... ecco... la suocera e con mio marito, col papà.
● Ah! Quindi la mamma, eh....
□ Sì, sì. Per fortuna che il marito aveva gusti buoni, ecco quella era fortuna, però io, come vestire i miei ragazzi, mai, mai, mai. Né spese...
● Niente! Paolo sì, però.
□ Paolo sì.
● Almeno uno!

11. Daniele Luttazzi: blog, TV e satira

(□ Daniele Luttazzi ● Giornalista)
● Diamo il benvenuto a Daniele Luttazzi, buongiorno!
□ Buongiorno a Repubblica Radio, come va?
● Tutto bene e Lei, come va?
□ Abbastanza bene, sono qui all'altezza di Canosa di Puglia, sotto una nevicata imponente, ho appena montato le catene, il traffico scorre ai 5 all'ora e tutto va bene.
● Lei ha deciso di chiudere il suo blog, perché?
□ Sì, perché mi sono reso conto che la forma blog non è neutra, così come non è neutra la televisione. La televisione condiziona i contenuti e la riflessione, così la forma del blog. Il blog crea una massa con un leader e quando mi sono reso conto che era molto lusinghiero per uno che gestisce il blog che ha successo come nel mio caso per esempio, è molto lusinghiero avere questa cosa, mi sono reso conto che è una lusinga del potere e siccome la satira è contro il potere, secondo me deve essere contro anche il potere della satira. Come si uccide la satira dandole potere e quindi era necessario evitare questa cosa e ho chiuso il blog. E credo di aver dato il buon esempio e mi piacerebbe che anche altri lo facessero.
● Infatti, volevo chiederle... ha mai avuto modo di parlarne con altri suoi colleghi, mi viene da pensare a Beppe Grillo, che ha un blog di successo?
□ No, devo dire: "No", anche se interrogato da un sito web sulla questione, Grillo ha detto: "Ma probabilmente il sito di Luttazzi non funziona. Il mio funziona benissimo.", che è una logica anche questa qui di potere, fondamentalmente. Uno chiude non perché non funzioni, il mio funzionava benissimo come blog, è il primo podcast in Italia, eccetera, non è quello il discorso. Il discorso è che... è importante secondo me che la gente cominci ad uscire di casa, la televisione è un potente sedativo, Internet e il blog è un narcotico invincibile. Siamo confinati nelle casette e comunichiamo gli uni con gli altri, ma non incidiamo nel reale. È importante uscire e incidere, secondo me.

● Lei parla di narcotici e di incisioni ed è laureato in medicina. Mi chiedevo, a questo punto, ha scelto, almeno per ora, di allontanarsi dalla TV e ha scelto il teatro, i libri e la canzone, ma alla medicina non ci pensa proprio più?

□ Eh, no. Però devo correggerla, non ho scelto di stare lontano dalla televisione, mi è stato imposto dopo l'ukase bulgaro di Berlusconi, dirigenti solerti della RAI hanno applicato la cosa. Io tornerei anche oggi in televisione con un programma satirico, ma non mi vogliono, non gli interessa, perché non gli interessa fare ascolti. "Satyricon" raggiungeva 7 milioni di pubblico, diciamo. Quando non gli interessa fare questi ascolti vuol dire che c'è un problema politico, diciamo. E quindi, quando si sbloccherà la situazione, allora forse ho speranza di poter tornare a fare comicità e satira libera in televisione. Eh, è che la gente si sta disabituando alla satira e alla comicità un po' adulta, diciamo, no? Quella che viene ammessa dalla televisione adesso è una comicità tranquilla, light, no? E va benissimo, ci vuole Stanlio e Olio, perfetto, ma non solo insomma. C'è anche un'altra possibilità e quindi mi piacerebbe poterlo fare.

● Va bene, allora noi ringraziamo, davvero, Daniele Luttazzi e diamo appuntamento al pubblico sul palcoscenico di Bologna per il debutto di "Come uccidere causando inutili sofferenze", venerdì. Grazie a Daniele Luttazzi.

□ Grazie a voi, ciao!

12. Errori di ortografia

(Trio Medusa:
■ Giorgio ● Gabriele □ Furio)

■ Come vedete l'inglese è lingua ostica, anche l'italiano lo è. Attenzione: non c'è nessun giudizio da parte del Trio Medusa che è il re degli ignoranti.

● No, no.

■ Marco da Torino a *direttadj.it* ha visto scritto per terra: "Maicol ti amo", scritto proprio Maicol.

● Maicol.

■ Proprio Maicol. A questo punto o è ignorante la scrittrice o i genitori del povero Maicol! Effettivamente!

● Che l'hanno chiamato Maicol non... sembra un farmaco...

□ Io l'ho conosciuto un Michael. Allora...

● Scritto Maicol?

□ Ma io un Andrew ho conosciuto, scritto Endriu.

● Ah! Endr-i-u.

□ Sì.

● Allora...

□ Non scherzo ragazzi.

■ E va be'!

□ E anche un Clyde, scritto Claid.

■ Allora uno si chiama W, poi uno scrive dabliu, così . Tra l'altro la mail di Marco finisce con una bella scritta che non c'entra molto ma: "L'itaglia", col gl, "agli italiani".

● Eh, siam tutti d'accordo.

□ Certo! Messaggio ricevuto da un mio amico da una tipa dopo un giro in moto: "Grazie di avermi fatto provare le brezza della velocità".

● Non è male!

■ Ti bucano il cuore, come a Chiara: "Vale se han chiesto un collopio chiarificatore dopo un litigio con la fidanzata?". Un collopio!

□ Io e te dobbiamo collopiare... Vicino casa mia su un muro di una fabbrica c'era scritto, ce lo dice Davide: "Il mio amore è così grande che il mio cuore non lo riesce a contenerlo". Pensate quant'è grande quest'amore! Non c'entra niente, anche qui, ma nel comune di Meda hanno aggiunto una "r" in mezzo ed è diventato Mreda.

● Mreda. L'hanno messa nel posto sbagliato!

□ Nel muro della chiesa del mio paese era scritto: "Serena il mio amore per te è maggiore del numero dei granelli di sabbia della spiagga" Firmato Dino.

● La spiagga!

□ Può scappare una "i".

■ Paola: "Vuoi venire a bevere qualcosa con me?" Aiuto!

□ Mi scrisse una mia amante: "O pasato - senza acca - una notte... una notte "d" - apostrofo - assogno. O pasato una notte d'assogno!"

■ D'assogno o sono d'esto, "d" - apostrofo - esto?

□ Sentite Veronica da Catania. Una lettera d'amore riportava la seguente frase, la devo leggere bene, eh?: "Per te farei qualun - apostrofo - un - pausa - que - cosa" Risposi che bastava fare le scuole dell'obbligo.

■ Hai fatto bene...

□ Però senti che dinamica, eh? Qualu-un-que cosa.

● Forse Venditti....

□ Ricevetti gli auguri dal mio ex: "Tanti auguri alla mia diciottienne." Lasciato immediatamente.

● Sul muro davanti a casa mia c'è scritto: "Se il mio amore per te sarebbe un fiore vivremmo una eterna primavera." E sotto: "fosse, ignorante!"

□ Vedi? Stesso problema che ci scrive Marco. Un tipo un po' macho, in macchina, s'accosta al mio gruppo di adolescenti a colloquio e fissando la ragazza più carina del gruppo le dice: "Irene, io ti sposassi!".

● Eh beh...

□ Vedi?

● È impazzita, ovviamente!

□ Un amico ha scritto a una ragazza che gli... che gli piaceva: "Vedo l'ora che ti vedo. Ti amo". Lei mica ha risposto.

● E te credo!

□ Ti credo!

● In una lettera per cercare di conquistarmi un ragazzo mi ha scritto: "Sei fetiscente". Che voleva dire? Affascinante?

□ O Forse "fatiscente"?

■ "Patiscente"?

● "Sei fetish?" È meglio!

□ Oh! Costantino a Roma. Su un muro c'era scritto: "La droga cinquina", senz'apostrofo.

● È ovvio!